LE TROISIÈME SECRET DE FÀTIMA

DU MÊME AUTEUR

Aux Éditions France-Amérique :
Mort des Papes et Apocalypse, les Prophéties de Saint-Malachie

Autres ouvrages parus :
À la Recherche des Trésors disparus
Les Demeures de l'Impossible
La Quête des Templiers et l'Orient
La France secrète
La France secrète Tome II

À PARAÎTRE

Magie Arabe
L'Énigme de la Croix de Lorraine

Daniel REJU

LE TROISIÈME SECRET DE FÀTIMA

Documentation et recherches
Jeanne BOUVARD

FRANCE-AMÉRIQUE

édité et distribué par
France-Amérique
170 Benjamin Hudon
Montréal, H4N 1H8
tél. : (514) 331-8507

ISBN : 2-89001-113-5

Ce livre est dédié à Celle qui a pu incarner l'Éternel Féminin en cette Aventure, et n'a cessé de m'y encourager.

« Le XXIe siècle sera religieux
ou ne sera pas. »

André MALRAUX

AVERTISSEMENT

Il est important, sinon primordial, de recourir à l'étymologie lorsqu'on se penche sur des questions ésotériques et, particulièrement, prophétiques.

En effet, il est courant de nos jours d'attribuer à un mot un sens erroné ou restrictif bien éloigné de sa signification originale profonde.

Ainsi, par exemple, le verbe révéler vient du latin « revelare ». En décomposant « revelare », on trouve le préfixe « re » et « velare » (voiler, couvrir).

Le préfixe « re » indique :

– Soit un mouvement de répétition.

– Soit un mouvement en sens contraire.

Le français moderne n'a retenu, comme signification exclusive pour « révéler », que celle de « dévoiler ». Mais, à l'origine, ce verbe aurait pu signifier aussi : « voiler à nouveau » – Et cela est toujours à considérer.

On ne saurait trop conseiller au lecteur de généraliser cette pratique de la recherche étymologique lorsqu'il se trouve en présence de termes qui lui paraissent importants et de procéder à cette redécouverte de la langue française par le biais du latin, voire du grec, de l'hébreu ou de l'arabe.

I

13 MAI

ROME, le 13 mai 1981...

Dans le courant de l'après-midi, comme chaque mercredi, l'asphyxie menace le centre de la capitale italienne. Voitures et autocars innombrables arborant des bannières et des banderoles en provenance des quatre coins de la planète affluent sur les rives du Tibre, engorgent les abords du château Saint-Ange, paralysant le « Borgo-Pio », vieux quartier jouxtant la cité du Vatican.

Tous ces hommes, toutes ces femmes s'impatientant dans leurs véhicules, entassés dans des pullmans, arrivent aussi bien du sud de l'Italie, que du Paraguay ou de Finlande.

Ils n'ont qu'un seul et même objectif, la place Saint-Pierre, et surtout un désir commun : voir le pape Jean-Paul II, l'entendre, recevoir sa bénédiction et, si possible, lui remettre un présent, le toucher, baiser sa main...

Certes, les audiences publiques ont de tout temps existé et attirent une foule considérable de fidèles, de pèlerins et de touristes.

Mais une telle affluence, une telle frénésie serait-on tenté de dire, ne s'était jamais vue avant l'intronisation de Karol Wojtyla, le pape polonais, l'homme de Cracovie qui, en 1977, seul en tête d'un immense cortège silencieux osa affronter l'appareil totalitaire mis en place à la tête de son pays par l'U.R.S.S.

15

Semblable phénomène s'explique sans aucun doute par la personnalité forte et rayonnante de Jean-Paul II qui ne cesse partout à travers le monde, de proclamer sa foi, la nécessité de la foi, les devoirs qu'elle implique et l'espérance qui en est la récompense, tout en jetant inlassablement à la face des hommes des mots significatifs de valeurs oubliées dans leur sens le plus profond : amour, liberté, paix...

Et, fait complémentaire, paradoxal en apparence, cet amoureux de la nature et de la montagne, ressent au plus profond de lui-même un impérieux besoin de communion avec la foule, éprouve une joie ostensible à se plonger en son sein. Angoisse des responsabilités incombant à sa charge, conscience ou prescience de la peur et du désarroi de l'humanité ou d'un danger terrible menaçant l'avenir immédiat de celle-ci. Quoi qu'il en soit, le pape a besoin des hommes.

Déjà Paul VI, jugeant insuffisante la superficie de la basilique Saint-Pierre où étaient jusqu'alors reçus les fidèles, avait fait édifier une salle spacieuse à proximité du Saint-Office spécialement pour ses audiences publiques.

Avec Jean-Paul II, celle-ci s'avère à son tour trop exiguë : le pape recevrait donc à même la place Saint-Pierre, depuis les colonnades du Bernin.

Aussi, ce mercredi 13 mai 1981, vers 17 heures, environ 40 000 personnes massées sur la place Saint-Pierre attendent-elles le pape sous un soleil ardent.

A la même heure, alors que la foule piétine, livrée au harcèlement incessant des hordes de marchands de médailles ou de cacahuètes, un homme seul se prépare calmement dans la bibliothèque du palais apostolique, au troisième étage de l'aile gauche.

Le pape de la dignité de l'homme, comme on a pu le surnommer, l'ennemi de la violence, quitte tranquillement ses appartements.

La haute silhouette blanche se dirige vers l'ascenseur. A

quoi peut songer Karol Wojtyla en ces instants? Peut-être à son prochain voyage en Suisse où il a l'intention de faire une déclaration capitale à l'occasion du quatre-vingt-dixième anniversaire de l'encyclique *Rerum Novarum,* consacrée à la condition ouvrière, publiée par Léon XIII le 15 mai 1891. Ou encore à la création de ce Conseil pontifical pour la famille qu'il vient de décider.

Ou même à cet autre voyage qui doit, au cours de l'été; l'amener en terre de France, à Lourdes...

Jean-Paul II, traversant le palais, gagne lentement l'Arco delle Campane – l'Arc des Cloches – un porche situé sur la gauche de la basilique où veillent deux gardes suisses, chacun devant sa guérite verte.

La jeep blanche dans laquelle il prendra place s'y trouve avec, à une certaine distance, un groupe de prêtres et d'agents de sécurité en uniforme ou en civil.

Jean-Paul II consacre encore quelques minutes à s'entretenir, en présence de son secrétaire polonais, avec deux prêtres de Varsovie en déplacement à Rome.

Le pape prend enfin place dans la voiture blanche, les deux factionnaires se mettent au garde-à-vous et reçoivent la bénédiction de Jean-Paul II au passage de celui-ci.

Le véhicule gagne alors à vitesse réduite la place Saint-Pierre, pénètre sur la vaste esplanade par un couloir large de six mètres aménagé grâce à des barrières contenant la foule qui laisse exploser sa joie par des acclamations retentissantes.

Dans ce creuset, ferveur authentique et prières, folklore et exubérance se côtoient et s'entremêlent avec une déconcertante spontanéité.

Au milieu de cette multitude, debout sur la jeep, la haute stature blanche de Jean-Paul II, les bras en croix, domine la masse.

L'allure est lente et, à l'arrière, policiers italiens, agents du Vatican et prélats n'ont à fournir aucun effort pour accompagner le « Papa polacco ».

Conformément à la coutume, le chauffeur immobilise le

véhicule. Jean-Paul II se penche alors pour caresser la joue d'un enfant, serrer une main anonyme.

A 17 h 18 la jeep pontificale avait pratiquement achevé le parcours prévu, arrivant à la hauteur de la porte de bronze, presque au début de la colonnade.

Le pape, normalement, quelques minutes plus tard doit monter sur un podium depuis lequel il s'adressera à la foule et ce, en plusieurs langues.

Mais ce dernier acte n'aura pas lieu.

Jean-Paul II, parmi la masse des fidèles, remarque une petite fille blonde qui tient un ballon bleu. Il se penche vers elle, la prend dans ses bras, la serre contre lui, puis se penche à nouveau pour la rendre à sa mère.

Il est exactement 17 h 19. A cet instant précis, trois coups de feu éclatent : un homme accroupi vient de tirer sur le pape pratiquement à bout portant, visant la région du cœur.

La haute et massive silhouette blanche maculée de rouge s'affaisse lentement, comme au ralenti, sur la banquette de la jeep.

Toutefois Jean-Paul II n'a pas perdu conscience. Hébété, il contemple ses mains tachées de sang, tandis que son secrétaire, Stanislas Dziwisz, et son valet de chambre, Andréa Gugel, le retiennent, le soutenant chacun d'un côté pour l'empêcher de s'écrouler complètement.

Et le successeur de Pierre, de murmurer douloureusement, en proie à la plus vive stupéfaction : « Pourquoi ont-ils fait cela? »

Dans la foule en proie à la panique des sanglots se font entendre et des hurlements retentissent. Deux femmes gisent à terre, blessées toutes deux, l'une d'elles grièvement.

Rapidement, la jeep entourée d'une nuée de policiers traverse la place Saint-Pierre où règne le plus parfait désordre pour rejoindre le poste de secours des Chevaliers de l'Ordre de Malte dressé à gauche de la basilique.

Il ne s'écoule pas dix minutes avant qu'une ambulance transportant le blessé, entourée de motards, ne démarre à vive allure à destination de l'hôpital de l'université catholique du Sacré-Cœur, la polyclinique Agostino-Gemelli.

Cruelle ironie du destin, des colombes amenées pour le pape par des pèlerins sud-américains, échappées de leur cage, survolent la coupole de Saint-Pierre.

« " Ils " ont assassiné le pape! Jean-Paul II est mort. » La fausse nouvelle se répand dans la cité du Vatican et les quartiers alentour avec une stupéfiante rapidité, tandis qu'un speaker, utilisant le haut-parleur habituellement destiné aux allocutions papales, annonce l'attentat, précisant avant d'entamer la récitation du « Notre Père » et de l' « Ave Maria » que le Souverain Pontife est blessé.

Sur la place Saint-Pierre, noire de fidèles agenouillés, les sanglots se mêlent aux prières. Le ciel retentit du vrombrissement des hélicoptères. La ville résonne des hurlements de sirènes des cars de police qui la sillonnent en tous sens. Des cortèges de femmes se lamentant rejoignent le lieu de l'attentat.

Puis, peu à peu, à la panique succède le recueillement, à l'hystérie, l'attente angoissée.

Radio-Vatican, par la voix du père Roméo Panciroli, diffuse les premières informations : l'un des agresseurs — car à ce moment on présume que plusieurs tueurs se sont attaqués au pape — a été arrêté et il s'agit d'un étudiant turc.

A 18 heures, l'information annonçant l'entrée du pape en salle d'opération est diffusée. Il n'a toujours pas perdu connaissance et, malgré l'intense souffrance que reflète son visage aux traits torturés, il exhorte au calme ceux qui l'accompagnent et demande que l'on prie pour lui.

Des rumeurs contradictoires concernant la nature et la gravité de la blessure circulent alors, tant parmi les journalistes et correspondants de presse qu'au sein de la foule atterrée qui attend anxieusement des nouvelles. Les prêtres encouragent toujours vivement à prier pour le pape car « son état est sérieux ».

L'espoir ne reviendra qu'à 22 heures, lorsqu'un médecin de la clinique Gemelli déclarera officiellement qu'aucun organe vital du pape n'a été touché.

Mais il faudra attendre le milieu de la nuit pour connaître exactement les conséquences de l'attentat sur la personne du pape : une balle a atteint Jean-Paul II à l'abdomen, une seconde au bras droit, la dernière à la main gauche. Quant à son état de santé, il est préoccupant, mais nullement désespéré.

Entré en salle d'opération, le Souverain Pontife y demeurera plus de quatre heures, quatre heures durant lesquelles une impressionnante équipe chirurgicale luttera méthodiquement pour l'arracher à la mort.

Jean-Paul II retrouvera ses esprits peu de temps après l'opération : aussitôt on lui administrera l'extrême-onction et, à cet instant, le pape prononcera des paroles de pardon à l'égard de son agresseur et demandera à ce que l'on remercie le président Sandro Pertini qui, en effet, ne quittera pas la clinique Gemelli de toute la nuit.

Sitôt la nouvelle tombée sur les téléscripteurs, la consternation, l'indignation, la stupeur et surtout – il faut bien l'admettre – une sourde angoisse s'emparèrent du monde entier.

Ce traumatisme durera plus de quarante-huit heures, jusqu'à ce que l'on estime Jean-Paul II hors de danger.

Car, que serait-il advenu si le pape n'avait pas survécu à ses blessures?

Pour le moins un vide immense. Certes, le monde se livre progressivement à un athéisme plus ou moins reposant, plus ou moins amer ou résigné.

Mais les hommes, depuis trois ans, se sont habitués à cette voix forte, chaleureuse et calme qui ne cesse, qui ne se lasse de répéter partout ces mots-clefs dont ils ont, aujourd'hui – plus que jamais peut-être – besoin : « Liberté, justice, amour, paix. »

Que cette voix se taise, et qui reprendrait le flambeau?

Dès le 14 mai, Jean d'Ormesson écrivait dans *le Figaro* :

« Cible toute désignée aussi parce que, dans notre monde ravagé par la guerre et par la haine, Jean-Paul II est un des rares hommes publics qui doive sa popularité à l'amour de la paix. Ce croyant est le contraire d'un fanatique. Ce pontife de la foi est un libéral qui défend les droits de l'homme. Il est l'incarnation du refus de la force », et d'évoquer plus loin « ... le bouleversement de millions d'hommes et de femmes à l'idée que le seul homme qui représente dans notre temps un peu d'éternité, un peu de pureté dans notre misère et tout l'espoir du monde ait pu être visé par la haine ».

Monde troublé en effet que celui de cette seconde moitié du XXᵉ siècle, livré à l'incertitude la plus totale, perturbé, agité, en proie à la fièvre et à la confusion, naviguant de tourmente en tempête, secoué, ébranlé...

Bouleversements et désordres s'y succèdent dans le chaos le plus total.

L'humanité désorientée et anxieuse de son devenir s'y supporte tant bien que mal, ne sachant comment faire face aux innombrables problèmes sociaux, économiques, politiques et moraux qui se présentent à elle, avec en toile de fond l'effroyable psychose d'un conflit nucléaire.

Les chefs historiques des peuples ont disparu, remplacés par des « politiques » sans envergure; les religions révélées ne rassurent plus; les idéologies dépassées, vidées de toute sève et de toute substance, s'avèrent incapables de susciter le moindre idéal authentique.

Les hommes commotionnés tentent vainement de se voiler la face pour que leurs yeux ne découvrent pas l'horrible et insoutenable spectacle que constituent les millions d'entre leurs frères mourant littéralement de faim...

S'ils ressentent quasi physiquement l'omniprésence du plus titanesque arsenal jamais mis en place aux quatre coins de la planète, l'incroyable stock de missiles pointés

21

sur les grandes métropoles qu'une simple fraction de seconde suffirait à libérer, ils ignorent par contre, ou feignent d'ignorer le pillage systématique de la Mère-Terrestre auquel ils se livrent. Non seulement ils vident celle-ci des éléments nécessaires à son équilibre, mais encore ils la souillent et la pourrissent de leurs déchets, tout comme l'atmosphère, son *aura*.

Et partout, conséquence du phénomène ou parallélisme du processus, la montée de l'agressivité, l'escalade de la violence, atteignant à la fois l'individu et la collectivité, violence qui engendre la peur elle-même génératrice de violence.

Comment stopper cette évolution démentielle, rompre ce cercle fatal? Comment l'humanité pourrait-elle retrouver espoir, stabilité, équilibre? Où pourrait-elle puiser une énergie nouvelle apte à lui permettre d'assurer une formidable mutation?

C'est dans ce contexte, à peine plus d'un mois après celui perpétré contre le président Reagan, qu'éclata la bombe constituée par la nouvelle de l'attentat commis sur la personne de Jean-Paul II.

Et cet acte prenait une autre résonance que celui du 30 mars ne concernant somme toute que les U.S.A. et leur mal interne, même si la tentative criminelle contre le chef d'État américain pouvait avoir des répercussions sur la scène internationale de la diplomatie et de la politique.

Cette fois le geste meurtrier du 13 mai revêtait une toute autre portée, une signification bien plus dramatique.

Que le pape meure et des millions de catholiques se sentiraient orphelins, le monde s'enfoncerait encore davantage dans ses ténèbres, l'humanité ressentirait plus que jamais les affres de l'inexorable engrenage d'une violence sans limite, d'une toute puissante machine d'anéantissement systématique : « Même le pape! »

Et la Pologne, principal point de tension Est-Ouest, se sentirait isolée, condamnée, perdue... N'importe quelle provocation aurait alors pu venir à bout du sang-froid des ouvriers de Lech Walesa, amenant ainsi les chars soviétiques au cœur de Varsovie avec tous les risques que cela implique pour la paix mondiale.

Aussi, en Pologne, l'émotion, la douleur et l'angoisse atteignirent-ils une sorte de paroxisme. La télévision consacra aussitôt une émission spéciale à ce qui, là-bas, était ressenti comme une véritable catastrophe nationale. Tous les dirigeants du parti unique envoyèrent un télégramme où ils souhaitaient notamment un prompt rétablissement au pape afin qu'il puisse reprendre rapidement son œuvre « au nom des idéaux profondément humanistes » qu'il prônait.

Mme Walesa déclarait à Gdansk, en l'absence de son époux : « C'est comme si on nous avait tiré dessus. »

Le cardinal Wyszynski alité et gravement souffrant, désira pourtant apporter son message. Enregistré sur cassette, il sera entendu par tous les Polonais réunis à la cathédrale Saint-Jean : « Tous nos problèmes ne sont rien en comparaison de ce qui vient d'arriver. Unissons notre douleur à celle du monde entier. »

Varsovie présentait un visage de ville en deuil, tandis que, des Carpathes à la Baltique, les fidèles emplissaient les églises, priant et pleurant pour Karol Wojtyla, le plus illustre des leurs, à la fois leur Saint-Père et leur héros national, incarnant à leurs yeux la liberté et la vérité que l'on avait voulu étouffer à jamais en ce 13 mai.

En Pologne, Jean-Paul II n'est pas seulement un pape particulièrement affectionné. Il est l'homme qui a rendu sa dignité à son pays et fait reconnaître la grandeur et la noblesse de ses traditions, rappelant la pérennité de ses liens avec l'Occident et avec Rome. Tout cela il a pu l'accomplir grâce à son accession au trône de Saint-Pierre; sur ses portraits qui ornent les portails des chantiers navals ou des usines en grève, il figure avec tous les insignes de sa dignité.

En France, l'émotion et l'indignation furent unanimes,

sentiments que partagèrent hommes politiques de toutes tendances, syndicalistes, autorités religieuses les plus diverses et, naturellement, la quasi-totalité de l'opinion publique.

Les chaînes de télévision, dès 17 h 30, diffusèrent flashes spéciaux sur flashes spéciaux, puis annulèrent leurs programmes pour couvrir l'événement en direct permanent. Mgr Lustiger, par ce canal, fit appeler à la prière des milliers de personnes pour une messe improvisée à Notre-Dame.

D'innombrables télégrammes furent adressés au Vatican, par exemple celui du pasteur Maury exprimant « la solidarité de l'Église protestante ». Le mouvement « Pax Christi » appela « les hommes de bonne volonté à se recueillir quelle que soit leur foi, car l'attentat perpétré et dirigé contre Jean-Paul II est dirigé contre la paix, la justice, les droits de l'homme et la liberté... ».

Le message adressé par Si Hamza Boubakeur, recteur de la mosquée de Paris, a valeur d'exemple par sa sincérité, l'émotion qu'il exprime et la concision significative des différents sentiments partout éprouvés : « C'est avec une profonde stupeur que nous avons appris l'odieux attentat. A travers Sa Sainteté et sa noble mission, c'est à l'une des plus hautes vertus et à l'espérance immense de l'humanité tout entière qu'on a voulu porter atteinte. »

A Bonn, le gouvernement ouest-allemand interrompait sa séance de travail hebdomadaire pour révéler la teneur du message adressé à Jean-Paul II par le chancelier Helmut Schmidt. En Suisse, où le pape aurait dû se rendre du 31 mai au 5 juin, Mgr Othmar Meader appelait les trois millions de catholiques que compte ce pays « abasourdis par l'attentat » à prier pour le rétablissement du Saint-Père. La reine d'Angleterre dans sa communication officielle, assurant le pape de ses prières et de celles du prince Philip, se déclarait « horrifiée et profondément choquée ».

Kurt Waldheim, secrétaire général des Nations-Unies,

exprimait son indignation et sa consternation, tandis qu'aux U.S.A., Ronald Reagan, Alexander Haig, Barry Goldwater – qui prit l'initiative d'interrompre les débats au Sénat – et Ted Kennedy se proclamaient d'un commun accord « profondément choqués et bouleversés ». Toutes les chaînes de télévision du pays interrompaient leurs programmes – ce qui n'est guère dans leurs habitudes – pour annoncer l'information et diffuser en permanence des flashes consacrés à l'état de santé de Jean-Paul II et aux événements du Vatican.

Quant à la télévision soviétique, c'est avec une rapidité tout à fait inhabituelle qu'elle a annoncé l'attentat dont le Souverain Pontife avait été victime place Saint-Pierre, ce qui ne manqua pas de laisser les observateurs perplexes.

Alors que le monde entier s'alarme et s'interroge ainsi, l'homme qui voulait tuer le pape subit, entre les mains de la police italienne, interrogatoire sur interrogatoire.

Le terroriste qui avait fait feu sur le pape à plusieurs reprises, accroupi pour mieux ajuster son tir, avec un Browning HP Parabellum, puissante arme de guerre de fabrication belge de calibre 9 mm, est un jeune « étudiant » turc de vingt-trois ans, Mehmet Ali Agca.

Sitôt après l'attentat, Mehmet Ali Agca, se voit entouré par plusieurs dizaines de personnes. Pour se dégager il menace la foule de son arme et se retrouve, s'étant ainsi frayé un passage, face à un jeune carabinier. Agca pointe son 9 mm, presse à nouveau la détente, mais son arme s'enraye...

C'est alors la ruée des fidèles et l'intervention in extremis des gardes suisses qui l'arrachent à la foule s'apprêtant à le lyncher. Retenu à la questure, il est rapidement remis à la police italienne qui le conduit en un lieu tenu secret dans la crainte de voir l'homme lynché ou abattu avant même d'avoir subi un premier interrogatoire, d'autant plus que l'on suppose encore qu'il n'avait pas agi seul place Saint-Pierre.

Son arme enrayée, Agca n'avait opposé aucune résistance, se laissant appréhender sans difficulté et se contentant de nier l'évidence, à savoir de protester de son innocence. Peut-être cette attitude pour le moins étonnante est-elle dûe au contrecoup de l'angoisse violente de se voir lyncher?

En ce cas le traumatisme aura été de courte durée : peu après, alors qu'il est encore menacé par la foule, il déclare aux policiers qu'il lui est indifférent de mourir. Et ce, en anglais, alors que ses premières dénégations avaient été formulées dans un fort mauvais italien.

Dans les locaux de la police italienne il affirme suivre des cours de l'université pour étrangers de Pérouse, capitale de l'Ombrie, à quelque 180 km au nord de Rome.

Vérification faite, la police italienne s'aperçoit très vite que son nom ne figure pas sur la liste des étudiants de Pérouse. Car, autre incohérence, Mehmet Ali Agca n'a nullement tenté de dissimuler sa véritable identité. On apprend ainsi que ce jeune homme basané aux traits saillants mais réguliers, au front à moitié couvert par une frange de cheveux noirs, est un redoutable terroriste activement recherché dans son pays.

La police perquisitionne au n° 35 de la via Cicerone, dans la chambre n° 31 de la villa « Isa », à proximité immédiate du Vatican où il s'est installé trois jours plus tôt, en provenance de Milan où il avait séjourné cinq jours durant. Ils y découvrent un chargeur, un livret universitaire volé et un faux passeport turc mentionnant le nom d'Ozgum Neushire.

Même s'il a décliné son véritable nom sans difficulté, Mehmet Ali Agca ne fournira aucun autre renseignement à la police.

Dans un premier temps les enquêteurs apprennent qu'avant de se rendre en Italie, il a voyagé en Espagne, en France et en Suisse.

26

Puis, par le canal d'Interpol, s'amoncellent les indications concernant le jeune terroriste et la police italienne parvient aisément à situer l'homme qu'elle détient.

Mehmet Ali Agca est né en 1958 d'une famille paysanne de condition modeste à Yesyltepe, petit bourg de l'est de la Turquie. Il n'est âgé que de huit ans lorsque son père meurt.

Jeune homme timide, renfermé, voire effacé, il entame d'éphémères études à Ankara. Puis il adhère au Parti d'Action Nationaliste – mouvement d'extrême droite aujourd'hui dissout du colonel Aspalan Turkes, actuellement emprisonné – dont il devient bientôt un militant actif, et sa personnalité se transforme.

Le Parti d'Action Nationaliste ne reconnaît pour seuls Turcs authentiques que les musulmans sunnites. A ce titre, ils s'opposent – outre aux forces « progressistes » – aux chiites, aux juifs et aux chrétiens. Les victimes turques de ces musulmans extrémistes et fanatiques ne se comptent plus, tout comme celle des partis d'extrême-gauche d'ailleurs.

Le 1er février 1979, Mehmet Ali Agca abat froidement M. Abdi Ipekci, rédacteur en chef d'un grand quotidien d'Istanbul, le journal *Milliyet*. Arrêté le 11 juillet suivant pour ce meurtre, Agca se retrouve écroué à la prison militaire de Tuzla. Il s'en évadera le 25 novembre, grâce à la complicité d'officiers gagnés à la cause du colonel Aspalan Turkes, et ce, peu avant son jugement. Il sera condamné à mort par contumace en 1980.

Le pape Jean-Paul II se trouve alors en Turquie depuis le 18 novembre. Il y demeurera jusqu'au 30. Ce voyage s'inscrit dans le cadre du rapprochement entre catholiques et orthodoxes amorcé par Paul VI. A Istanbul, le pape rencontre le patriarche Dimitrios Ier et les deux hommes instaurent une commission mixte ayant pour objet de maintenir un dialogue permanent entre les deux Églises.

Le 28 novembre, juste avant le départ du pape, Mehmet Ali Agca adresse une lettre au même quotidien *Milliyet*, dont il a assassiné l'ancien rédacteur en chef.

Dans cette missive, il affirmait ne s'être enfui de prison qu'afin de tuer le pape et expliquait sa détermination en ces termes : « Dans la crainte de voir la création par la Turquie et ses frères arabes d'un nouveau pouvoir politique, économique et militaire à travers le Moyen-Orient, l'Occident a expédié sans tarder en Turquie, en guise de chef religieux, le commandant des Croisés, Jean-Paul II. Si cette visite, inopportune et dénuée de sens, n'est pas annulée, je tuerai certainement le pape (...). Il faut que quelqu'un paye pour l'attaque perpétrée contre La Mecque, qui a ses origines aux États-Unis et en Israël. »

Folie obsessionnelle ou calcul savamment prémédité? Il sera bien difficile de l'établir.

Mais dans un cas comme dans l'autre, une chose paraît certaine : Istanbul ne porte guère chance aux papes de Rome. Déjà, lors de son voyage en 1967, Paul VI avait provoqué un tollé général parmi les 98 % de musulmans que compte la Turquie en s'agenouillant pour prier devant le seuil de Sainte-Sophie comme s'il s'agissait surtout d'un édifice chrétien!

Mehmet Ali Agca, qu'il soit un dément ou un tueur impitoyablement lucide, manipulé ou non, possède en tout cas de bien généreux mécènes et des relations aussi nombreuses que cosmopolites.

Lors de l'enquête consécutive à son arrestation du 11 juillet 1979, les policiers turcs n'avaient pas manqué de s'étonner du solde largement créditeur de son compte en banque à Malatya, le chef-lieu de sa province. Compte bancaire qui s'était d'ailleurs singulièrement arrondi au lendemain du meurtre du rédacteur en chef du *Milliyet*.

Et, lors de sa seconde arrestation à Rome, il était en possession d'une très forte somme.

Mieux, entre son évasion de Tuzla et sa capture à Rome dix-huit mois se sont écoulés. Durant ceux-ci il a bien fallu que l'on subvienne aux besoins de Mehmet Ali Agca. D'autant plus que le tueur voyageait beaucoup et dépensait sans compter.

Agca a vécu en Allemagne occidentale – à Ulm essentiellement – où il s'était fiancé à une jeune Allemande.

Il passe ensuite à l'Est, en R.D.A., puis en Hongrie et en Bulgarie.

Plus tard, on retrouve sa trace au Liban, à Beyrouth.

Il séjourne également à Paris, en Espagne, en Suisse et en Italie naturellement, à trois reprises depuis le début 1981.

Juste avant son retour à Rome et l'attentat du 13 mai, il a passé quinze jours à Palma de Majorque.

Inlassablement les Turcs signalent sa piste aux différentes polices européennes, mais en vain. Mehmet Ali Agca demeure insaisissable.

Les hommes de la Digos (police secrète italienne) tentent donc de trouver une réponse à cette question à trois volets : qui payait Ali Agca? Qui finançait tous ses voyages? Et pour quelle raison se déplaçait-il tant?

S'ils parvenaient à trouver une réponse, ils comprendraient sans doute du même coup qui a pu lui procurer – sans nul doute en Italie même – le browning HP parabellum dont il se servit contre Jean-Paul II et les faux papiers dont il était muni.

Et, conséquence logique, ils découvriraient ainsi quels étaient ceux qui voulaient la mort de Jean-Paul II.

Car, s'il paraît inconcevable de voir en Mehmet Ali Agca un fanatique isolé ou le militant égaré d'un groupuscule politique, il faut bien en déduire qu'il y a eu complot contre le pape.

Par la suite, les policiers de la Digos s'aperçurent que Mehmet Ali Agca s'était effectivement inscrit à l'université de Pérouse considérée comme une plaque tournante du terrorisme. Mais d'Agca lui-même, ils n'obtiendront aucun renseignement, malgré des interrogatoires sévères durant parfois jusqu'à 4 heures du matin.

Jean Nolé, du *Point,* rapportait dans le numéro du 25 mai de cet hebdomadaire, certains propos désabusés d'un inspecteur romain : « Pendant quinze jours, après sa première arrestation en 1979, policiers et militaires turcs l'avaient questionné avec... rudesse. Et il n'a pas craché un aveu. (...) On a dit de lui que c'était un fanatique. Il est pis encore : c'est un homme remarquablement entraîné physiquement et psychiquement. Il lui suffit de somnoler sur sa chaise quelques minutes pour récupérer une énergie nouvelle. Il ne se contredit jamais. On a l'impression qu'il répète infatigablement et à la perfection une leçon apprise depuis longtemps qui a prévu tous les pièges des interrogatoires. A aucun moment nous n'avons pu le mettre en difficulté. Il est tellement cynique qu'il lui arrive même de répondre à nos questions avant même que nous ne les ayons posées. »

Remarquablement entraîné *psychiquement*...

Au sujet de Mehmet Ali Agca, on a parlé du K.G.B. qui, cherchant à déstabiliser définitivement la Turquie, bastion occidental d'une importance stratégique considérable, manipulerait tous les groupes terroristes de ce pays, qu'ils se situent aussi bien à l'extrême-droite qu'à l'extrême-gauche. Il serait pour l'instant impossible d'affirmer ou d'infirmer.

Tout ce que l'on peut envisager sérieusement à propos du jeune tueur est qu'il dépend – consciemment ou non – de l'un de ces « obscurs centres de pouvoir » sur l'importance desquels Jean-Paul II attirait l'attention mondiale le 29 décembre dernier. « Pourquoi *ont-ils* fait cela? »

Des circonstances pour le moins étonnantes ont permis au pape de survivre à ses blessures. Avec un certain recul, après sa seconde hospitalisation due à une inflammation de la plèvre du poumon droit, détection d'un virus peu courant et nouvelle opération, on peut même se demander si, en toute « logique », Jean-Paul II n'aurait pas dû succomber à ses blessures au soir du 13 mai.

On se souvient qu'immédiatement avant que n'éclatent les coups de feu, le pape avait pris une petite fille dans ses bras et l'avait serrée contre lui.

Or, à l'instant précis ou Mehmet Ali Agca ouvrait le feu, visant le cœur, presque à bout portant – et un terroriste « remarquablement entraîné physiquement et psychiquement » ne peut qu'avoir une grande précision de tir – Jean-Paul II se déplaçait légèrement pour rendre l'enfant à ses parents. Sans ce mouvement de quelques centimètres il est vraisemblable que la première balle aurait atteint son but, traversant le cœur du pontife visé soigneusement par le Turc.

Les autres projectiles ont atteint Jean-Paul II alors qu'il se redressait, Mehmet Ali Agca n'ayant pas eu le temps nécessaire pour amorcer un réflexe rectifiant son angle de tir.

En outre, dans ce genre de blessures – organes vitaux épargnés mais abondantes pertes de sang – et particulièrement dans celles concernant l'abdomen, un facteur s'avère essentiel : la rapidité des soins et de l'intervention chirurgicale.

Jean-Paul II a été conduit en salle d'opération dans un délai tout à fait stupéfiant : blessé à 17 h 19 il entrait à 18 heures précises dans le bloc opératoire situé au neuvième étage de la clinique Gemelli.

Entre le Vatican et celle-ci, il y a environ trois kilomètres, et surtout, comme nous l'avons vu, un trafic considérable, des encombrements énormes dans les rues de Rome encore augmentés par la panique provoquée par l'attentat.

Parmi les médecins et infirmiers de Gemelli, l'opération réussie et toute crainte pour la vie du pape écartée, il s'en est trouvé pour reconnaître, quelques jours après, que Jean-Paul II était quasiment mourant lorsqu'il fut remis entre les mains de l'équipe chirurgicale, évoquant ses traits tirés et son teint cireux.

A Gemelli on procéda naturellement en tout premier lieu à une vérification du groupe sanguin du souverain pontife : A rhésus négatif, soit un groupe très rare dont l'hôpital ne possédait qu'une faible réserve. Il devint impératif d'envoyer une ambulance, alors que Jean-Paul II se trouvait déjà sur la table d'opération. Ce qui obligeait à un aller-retour dans une cité à moitié paralysée par des embouteillages démentiels.

Quittant la clinique le 14 août, avant de regagner ses appartements du Vatican, Jean-Paul II alla se recueillir et prier sur les tombeaux de Saint-Pierre et de ses trois prédécesseurs, Jean XXIII, Paul VI et Jean-Paul Iᵉʳ. Il déclara ensuite : « J'ai pensé que là, il aurait pu y avoir une tombe supplémentaire, mais la Sainte-Vierge, ce 13 mai, le mois qui lui est consacré, l'a voulu autrement. »

Sans aucun doute. Mais cette intervention du ciel qui gêna le tir de Mehmet Ali Agca, permit aussi à Jean-Paul II d'entrer en salle d'opération en un temps record et fit que l'on parvint à lui procurer in extremis le sang dont dépendait le succès éventuel de la guérison.

Cette grâce céleste ne prend-elle pas, vue sous un certain angle, également valeur d'avertissement?

Il est vrai que l'existence de Karol Wojtyla paraît bien étrange, parfois, surtout dans le domaine de ses rapports avec la mort et le « surnaturel », comme si son âme, marquée avant de naître, était prédestinée à une mission bien particulière au point que l'on puisse se demander s'il n'existe pas un « mystère Jean-Paul II » que traduirait de temps à autre le regard ironique du souverain pontife.

Âgé de 15 ans, il s'amusait avec un camarade et celui-ci, maniant une arme à feu chargée, appuya soudain le doigt sur la détente par inadvertance, alors que le jeune Karol lui faisait face. Déjà, on tirait sur lui à bout portant, et la balle lui frôla la tête...

La mort, il faillit la trouver une seconde fois, pendant la guerre. A l'époque, il travaillait dans une carrière tout le jour et étudiait à longueur de nuits. Épuisé, il lui arriva de s'évanouir un beau matin en pleine rue, terrassé par la fatigue, alors que passait un camion de l'armée allemande

32

qui le renversa. Là encore, il fut épargné, mais de justesse...

Mais l'événement le plus marquant de sa vie remonte à 1947.

Karol Wojtyla venait tout juste d'être ordonné prêtre et voyageait alors en Italie. Une impérative prescience le poussa à vouloir rencontrer le padre Pio, ce célèbre capucin stigmatisé depuis son adolescence.

Arrivé à San Giovanni Rotondo, Karol Wojtyla, sitôt ses bagages déposés dans un hôtel, se mit en quête du couvent des capucins où vivait le padre Pio. Chemin faisant, il se tordit une cheville qui se mit aussitôt à enfler.

Arrivé à destination, malgré la douleur lancinante, il fut introduit devant le prêtre. Ce dernier le regarda fixement avant de lui expliquer laconiquement que sa souffrance actuelle n'était rien en comparaison de celle qu'il ressentirait lorsque ses vêtements blancs seraient tachés de sang. Ce jour-là, elles seraient horribles et il ne serait sauvé que par sa foi.

Au comble de l'étonnement, Karol Wojtyla objecta que toute sa vie il ne porterait qu'une soutane noire.

Le padre Pio ne répondit pas, se contentant de sourire : lui savait que le jeune Polonais deviendrait un jour pape.

Sans doute, Jean-Paul II a-t-il songé depuis à cette prédiction, non seulement après ce fatidique 13 mai, mais déjà dans le stade de Karachi où, lors de son voyage en Asie, au mois de février, une bombe explosait quelques minutes avant son arrivée...

Peut-être est-il parvenu à en interpréter le sens, la signification la plus profonde.

Semblable série de faits dramatiques l'ayant jusqu'à présent épargné de justesse, ne peut-on poser la question : « S'agit-il d'un simple hasard? »

Jean-Paul II dispose maintenant de trop d'éléments pour ne pas comprendre.

LE TOUQUET, le 2 mai 1981...

L'aéroport du Touquet Paris-Plage fonctionne au ralenti, au rythme lent de sa routine habituelle. Soudain, peu avant 15 heures, la tour de contrôle reçoit un appel urgent. Il provient d'un Boeing 737 de la Compagnie irlandaise Aer Lingus et le commandant de bord de l'appareil, Edward Foyle, demande l'autorisation d'atterrissage immédiat.

Celle-ci lui est aussitôt accordée et, à 15 h 04, l'avion assurant normalement le vol régulier 164, Dublin – Londres – Heathrow, se pose sur l'aire 32 et parvient, néanmoins, à s'immobiliser en bout de piste, sur le parking, en bordure de la Nationale.

Les réacteurs tournent à vitesse réduite, puis se taisent. Le commandant Foyle pousse un soupir. Il vient de réussir une jolie manœuvre : « poser » un 737 sur une distance aussi courte n'était pas une tâche aisée.

L'appareil, avec cent huit passagers et cinq membres d'équipage, a décollé de Dublin à 13 h 35, heure de Paris. Alors qu'il ne lui reste plus que dix minutes de vol avant d'atteindre l'aéroport londonien d'Heathrow, un passager fait irruption dans la cabine de pilotage.

Plutôt petit, c'est un personnage d'apparence insignifiante, aux cheveux blancs clairsemés plaqués en arrière. En lui, rien n'attire l'attention, si ce n'est une chemise écossaise bleue et rouge. Son visage sans expression est calme, presque serein.

Pourtant, il serre contre lui une boîte métallique et tient sous son bras un objet bizarre évoquant très vaguement la forme d'une bouillotte.

D'une voix tranquille, le petit homme s'adresse au commandant pour lui intimer l'ordre de reprendre de l'altitude. Et il explique le plus naturellement du monde à Edward Foyle que la destination du vol 164 est modifiée : l'appareil mettra le cap sur Téhéran. Et de déconseiller tout mouvement suspect en désignant la boîte métallique, indiquant qu'il s'agit-là d'un container explosif.

Le commandant Foyle, qui avait amorcé sa descente, avec cent douze personnes à bord, ne peut se permettre de prendre des risques.

Il remet les gaz tout en expliquant au curieux pirate de l'air que son appareil censé couvrir la distance Dublin – Londres est bien loin de disposer des réserves de kérosène indispensables pour atteindre une aussi lointaine destination. De plus, survolant déjà les environs de Heathrow, il ne va pas tarder à manquer de carburant dont la quantité est déterminée par la durée du vol prévu.

Le curieux pirate de l'air et le commandant de bord décident alors de venir se poser au Touquet.

Sitôt après l'appel radio du vol 164, le Président de la République avait été avisé du détournement de l'appareil d'Aer Lingus. Il rappela aussitôt à Christian Bonnet, ministre de l'intérieur, les consignes applicables en pareil cas : Obstruction de la piste pour empêcher un nouveau décollage et envoi sur place des hommes du G.I.G.N. (Groupement d'Intervention de la Gendarmerie Nationale) avec mission d'intervenir le plus rapidement possible tout en sauvegardant la vie des passagers.

Au Touquet, on apprend, sans autres précisions, que le pirate prétend être en possession d'un « container explosif » prêt à fonctionner, mais on ignore s'il détient d'autres armes. Au lieu-dit « Le Pont d'Etaples », proche de

36

l'extrémité de la piste 32 où l'avion est stationné, on procède à l'évacuation d'une dizaine de maisons individuelles.

Par radio, le dialogue s'engage alors entre le commandant Edward Foyle, qui transmet les exigences du pirate, et le directeur de l'aéroport. L'inconnu du 164 pose comme conditions à la libération des passagers, la publication par la presse irlandaise – « L'Irish Indépendant » en particulier – et internationale d'un article de neuf feuillets qu'il a rédigé et consacré au troisième secret de Fàtima, la divulgation par le Vatican du document qu'il détient relatif à ce même secret et, enfin, le plein de kérosène des réservoirs du Boeing pour qu'il puisse reprendre son vol à destination de l'Iran.

Christian Bonnet s'oppose formellement à cette dernière revendication. Le reste n'est pas de son ressort et il donne pour consigne de gagner du temps à tout prix.

Le dialogue radio reprend. Edward Foyle apprend au directeur de l'aéroport que le pirate prétend appartenir à la « secte du troisième secret de Fàtima ».

Vers 17 heures, le directeur de l'aéroport, en 4L, parvient à s'approcher du Boeing 737. Le commandant de bord, surveillé par le pirate, lui tend par la verrière du cockpit les neuf feuillets dactylographiés que vient de lui remettre l'homme à la chemise rouge et bleue.

En dehors du pilote, qui n'a pas eu, vraisemblablement, le temps de les lire, du directeur de l'aéroport et des policiers, *personne n'a eu connaissance de ce dossier.* Naturellement, il n'a pas été *rendu public.*

Officiellement, on parlera de « charabia incompréhensible » mais sans fournir aucune précision, aucun détail sur la nature de cet « article ». La grande presse se contentera de mentionner brièvement son existence sans s'interroger davantage sur sa teneur.

La liste des conditions posées par le pirate de l'air est envoyée par télex à Charles Haughey, Premier Ministre irlandais qui convoque d'urgence son cabinet, tandis que Christian Bonnet, de son bureau de la place Beauvau suit l'évolution de la situation minute par minute. Le Quai d'Orsay, de son côté, qui a réuni un état-major de crise, se tient en contact permanent avec Dublin.

Au Touquet, on a maintenant la conviction d'avoir affaire à un pirate de l'air peu commun, à un déséquilibré mystique, voire à un fou dangereux, en tout cas à un homme s'estimant investi d'une mission sacrée.

Son nom figure au bas du dernier feuillet de l' « article » : Lawrence Downey. On le transmet à Dublin et, bientôt d'amples renseignements concernant sa personnalité et ses antécédents tombent sur les téléscripteurs du Touquet et de Paris.

Certes, bon nombre d'entre eux semblent confirmer le dérangement mental de l'individu, mais certains devraient logiquement éveiller l'intérêt – ou même la simple curiosité – d'observateurs avisés ou de hauts responsables, tant Français qu'Irlandais. Officiellement pourtant, il n'en sera rien.

Agé de cinquante-cinq ans, Lawrence J. Downey est originaire de Perth, en Australie où il est né en 1926.

En 1950, il est admis au *Monastère Trappiste de Tre-Fontane* [1] *à Rome.* Il y prononcera ses vœux simples en 1952 avant d'être exclu en 1954. Motif : Downey aurait molesté un de ses supérieurs!

Un bien étonnant épisode s'était d'ailleurs déjà déroulé dans ce même monastère romain « Tre-Fontane », le 12 avril 1947, soit trois ans avant l'arrivée de Downey.

La Vierge y apparut, revêtue d'un costume pour le moins singulier – robe blanche, ceinture rose... et voile vert – à un dénommé Bruno Cornacchiola.

Chose étrange, ce dernier se proclamait très peu favorable au culte marial. Et la Vierge lui déclara : « Je suis Celle qui suis dans la Trinité-Sainte : Je suis la Vierge de la Révélation. »

Natya Foatelli à laquelle nous empruntons cette information, (publiée dans son article *Le Sens Eschatologique des Apparitions Mariales* paru dans la revue *Atlantis* d'Octobre/Décembre 1967), relevait avec la perspicacité qui lui est habituelle, les couleurs peu usitées de cette apparition mariale et établissait un rapprochement avec celles de la Vénus antique.

Lorsque l'Australien quitte Rome, il se rend au Portugal où il trouve aisément un emploi : guide au *sanctuaire de Fàtima...*

Pour une raison inconnue, Lawrence James Downey, quitte alors le Portugal et l'Europe pour rejoindre sa ville natale, Perth en 1972. Il s'y marie la même année et fonde une famille. Il aura cinq enfants.

Que fait-il ensuite? On ne sait trop. Il aurait, paraît-il, tenté sa chance comme mercenaire puis comme journaliste.

Soudain, en 1977, abandonnant femme et enfants, Downey quitte précipitamment l'Australie où il s'est livré à des opérations foncières douteuses et à diverses escroqueries. Un mandat d'amener international est lancé contre lui.

Cela n'empêche pas Downey de s'installer en Irlande et, au grand jour, à deux reprises, de tenter d'y fonder une école privée.

Et, parallèlement, sans être le moins du monde inquiété, Lawrence Downey adresse missive sur missive à Buckingham Palace, article sur article aux grands quotidiens du pays signés de son vrai nom.

Ses amis l'auraient jugé « dérangé » et certains d'entre eux n'auraient pas hésité à le surnommer le « moine fou ».

A 19 h 40, environ cent cinquante policiers ont pris discrètement position à bonne distance du Boeing d'Aer Lingus.

Les négociations continuent, entre le directeur de l'aéroport et celui du S.R.P.J. de Lille d'une part et

Downey d'autre part, par le canal du commandant.

A bord de l'appareil, l'angoisse commence à étreindre les passagers qui attendent un dénouement quelconque depuis près de cinq heures.

Lawrence James Downey accepte de libérer cinq femmes, deux Irlandaises et trois Anglaises, avec six bébés. Elles expliqueront aux policiers que le « moine fou » s'arrose d'essence toutes les demi-heures – essence contenue dans sa « bouillotte » et qu'il secoue un briquet en menaçant de s'immoler par le feu en faisant tout sauter.

Est-ce l'effet des fortes rasades de whisky qu'il absorbe régulièrement, le petit personnage falot s'est transformé en agité dont les traits crispés et le regard halluciné traduisent une incroyable tension intérieure.

Les otages bouleversés sont livrés à une angoisse de plus en plus croissante.

A 22 h 30, un second Boeing d'Aer Lingus atterrit au Touquet. En débarquent une quinzaine de personnes : des dirigeants de la compagnie, Albert Reynolds, ministre irlandais des Transports et un ami personnel de Lawrence James Downey... à toutes fins utiles.

Entre-temps, les hommes du G.I.G.N. sous les ordres du capitaine Christian Prouteau sont arrivés eux aussi au Touquet par avion spécial. Le commando est en place depuis 21 h 50.

Peu avant 23 heures, six gendarmes réussissent à atteindre les issues de secours et les soutes à l'arrière de l'appareil, font irruption dans le Boeing par ces voies d'accès et s'installent sur des fauteuils libres en intimant le silence et l'immobilité aux passagers. Le capitaine Prouteau, dissimulé par l'obscurité, face à l'appareil, observe à l'aide de ses jumelles Downey aux côtés du commandant de bord.

Quelques minutes plus tard, le pirate fait quelques pas en arrière pour s'arroser une nouvelle fois d'essence. Ses deux mains sont occupées.

Christian Prouteau donne le signal d'assaut : Downey est maîtrisé sans un seul coup de feu, sans aucune blessure pour quiconque. Il est 23 h 06.

Ainsi prend fin cette affaire peu banale que d'aucuns n'ont pas hésité à qualifier de « plus invraisemblable détournement de l'histoire de la piraterie aérienne ».

Lawrence James Downey a été remis aux policiers du S.R.P.J. de Lille chargés de l'interrogatoire et sans doute n'auront-ils jamais eu à traiter un cas aussi étrange.

Selon certaines rumeurs, Downey devait être extradé vers la Grande-Bretagne puisque c'est dans cet espace aérien qu'il a commis son forfait.

Peu importe. Son nom, finalement n'aura monopolisé l'actualité guère plus de vingt-quatre heures.

Downey est sans doute un déséquilibré à la santé mentale vacillante. Il apparaît sujet à de violentes crises. Mais peut-on parler à son sujet d'aliénation profonde et chronique? La question mériterait d'être approfondie.

Car, si dans son entourage, en Irlande, on le considérait comme une sorte d'illuminé, qui aurait pu prévoir qu'il serait soudain capable de commettre un tel geste?

Et en Australie, en Italie, au Portugal, comment se comporta-t-il? Il ne faut pas oublier qu'il demeura quatre ans chez les Trappistes à Rome; les religieux auraient-ils gardé ainsi un dangereux malade mental? De même, à Fàtima, huit ans durant, il sera un guide du sanctuaire sans histoires... Puis il se marie, élève cinq enfants, monte des escroqueries... Curieux malade mental en vérité.

Reste donc l'hypothèse d'un homme au psychisme fragile subitement frappé d'un accès de folie furieuse. Pourtant son action était préméditée lorsqu'il embarqua à Dublin. Il était très calme, effacé *bien qu'il sache ce qu'il allait faire...*

L'une des passagères, à sa descente d'avion, déclara tout simplement à son propos : « il agit par mysticisme religieux ».

La conduite surprenante de Downey était en fait dictée par deux mobiles distincts en apparence : d'une part, divulguer le troisième secret de Fàtima, d'autre part, gagner à tout prix Téhéran, capitale de la révolution chiite. Sans doute, en son esprit troublé, y avait-il là association d'idées. On serait bien en peine de la déterminer, mais fort curieux de connaître le lien qu'il avait tissé entre ces deux facteurs.

Mais il y a plus étonnant dans cettte étrange affaire. Toute la presse, à l'occasion de ce détournement d'avion, publiait des encadrés retraçant l'historique des apparitions de Fàtima et reposant la question du contenu de ce fameux troisième secret. Or, Downey demeura quatre ans à Rome chez les Trappistes de « Tre-Fontane », fut guide pendant huit ans au sanctuaire portugais – entre autres – détourna un avion uniquement pour faire publier un article relatif à ce troisième secret et nul n'eut la curiosité de s'informer du contenu des neuf feuillets proposés. Certes, Downey, lorsqu'il fût ceinturé par les hommes du G.I.G.N était-il manifestement devenu fou à lier. Mais s'est-on interrogé sur l'état des facultés mentales de l'ancien moine *lorsqu'il rédigea* ce document?

En fait, visiblement, on s'est contenté de l'opinion d'un consul de Grande-Bretagne qui – de quel droit et en vertu de quoi? – prit connaissance du mémoire de Lawrence James Downey au Touquet et le déclara « débile ». De même, on ne se soucia guère d'en savoir davantage sur les mobiles justifiant son renvoi du Monastère... L'Australien a-t-il réellement frappé un supérieur ou bien ce motif en masque-t-il un autre? Enfin, n'aurait-on pas *profité* d'un incident mineur pour chasser Downey devenu, pour une raison inconnue, indésirable à Rome?

Rome, dont la conduite, tout au long de ce pénible épisode, demeure incompréhensible, voire inadmissible.

En effet, le Vatican, dans cette affaire, était directement mis en cause. En échange de la vie de cent douze personnes, Downey réclamait bien la révélation du troisième secret de

Fàtima détenu – arbitrairement d'ailleurs – par la Papauté.

Logiquement, c'était donc au Saint-Siège qu'il revenait de négocier avec le pirate de l'air, ce qui n'a pas eu lieu.

Le suspens a régné près de dix heures. Durant ce laps de temps, cent douze innocents risquaient leur vie.

Le Vatican ne s'est pas manifesté. Pas de réaction officielle ou officieuse. Aucun communiqué, aucun message. Le silence le plus total.

Le nonce Apostolique à Paris, à proximité immédiate du drame, a observé la même attitude.

Le Saint-Siège se sent-il donc à ce point gêné dès que, d'une manière tragique ou non, est à nouveau évoqué publiquement le troisième secret de Fàtima?

FÀTIMA, le 13 mai 1917...

Trois enfants font paître une trentaine de brebis à la « Cova da Iria », la « Combe d'Irène », dépression herbeuse, sorte de vallon dont le nom rappelle le souvenir de sainte Irène, sur les collines entourant Fàtima.

Jacint Marto et son frère Francisco, respectivement âgés de neuf et huit ans, et leur cousine Lucia dos Santos, dix ans, qui dirige le groupe, gardent ainsi chaque jour le troupeau de leurs deux familles, tantôt là, tantôt ailleurs.

Le visage peu avenant de Lucia attire néanmoins l'attention par l'expression ardente de ses grands yeux noirs révélateurs d'une âme précoce et réfléchie. Jacint, par contre, est toute fraîcheur et toute grâce. Son amabilité naturelle séduit tous ceux qui l'approchent. Quant à Francisco, solide garçonnet, s'il parle peu, il observe beaucoup et se montre toujours d'humeur égale.

Issus d'un milieu pauvre, ils n'ont jamais pénétré dans une salle de classe, mais possèdent une formation chrétienne : leurs mères leur enseignent le catéchisme. Chaque soir, en famille, la prière est récitée en commun. Dans la journée, menant leurs brebis au pacage, ce qui constituait l'essentiel de leurs occupations, ils égrènent souvent leur chapelet.

Ce rite est également scrupuleusement appliqué après le repas de midi, le plus souvent composé de pain bis, de fromage aigre et d'un fruit, le tout arrosé d'eau claire, pris dans la nature, tout en surveillant les bêtes.

Ce 13 mai 1917, les trois pastoureaux sont allés à la première messe célébrée par le curé de Fàtima, à la chapelle de Boleiros, un hameau assez éloigné.

Le prêtre – appelé ici « Monsieur le Prieur » –, Marquès Ferreira, s'est gardé d'oublier les instructions du pape Benoît XV, à savoir une intercession particulière auprès de Marie, ajoutée aux litanies de la Vierge : « Reine de la Paix priez pour nous! »

Sitôt l'office achevé, les trois cousins ont rassemblé leur troupeau et pris le chemin du hameau de Gouveia.

Mais, en cours de route, une impulsion subite avait poussé Lucia à faire demi-tour et à gagner la Cova da Iria, où son père possédait d'ailleurs un petit champ.

C'est un lieu où la terre paraît un peu moins aride qu'ailleurs, où croissent de maigres cultures à l'abri de murets se recoupant. Mais, si vers les hauteurs poussent des oliviers et quelques chênes verts, les champs qu'enserre la lande semée de pierres y restent malgré tout d'un rendement bien médiocre.

Les trois pastoureaux se partagent le contenu de leurs musettes. Le repas achevé, comme à l'accoutumée, ils s'agenouillent pour réciter leur chapelet.

Puis, ils se préparent à rassembler leurs bêtes pour les emmener paître plus loin.

Il est midi et le soleil est au zénith, sa clarté brûlante inonde tout le vallon.

Pourtant, cette lumière si vive, paraît soudain éclipsée par une autre bien plus puissante, littéralement éclatante, véritable explosion silencieuse. Passé cet éblouissement insoutenable, les petits bergers lèvent les yeux vers le ciel bleu, clair et uniformément limpide. Pour qualifier ce phénomène, plus tard, ils ne trouveront qu'un seul mot : « éclair »...

46

Aussi songent-ils à la possibilité d'un orage se ramassant derrière la montagne et se hâtent-ils de regrouper leurs bêtes afin de gagner Ajustrel où ils se mettront à l'abri.

Et de descendre à toute allure le flanc de la garrigue, poussant leur troupeau devant eux, quand, près d'un *chêne,* se produit un nouvel « éclair » aussi puissant que le précédent, véritable éruption de lumière qui les aveugle et les immobilise dans leur course.

Ils demeurent ainsi quelques instants, à bout de souffle, le cœur affolé, puis reprennent leur fuite en avant.

Pas pour longtemps. A quelques mètres, légèrement en contrebas, se trouve un autre *chêne-vert,* encore jeune et de dimension modeste. Ils n'en sont plus qu'à quelques pas lorsque revient l'incroyable clarté, baignant l'arbre et les enveloppant eux aussi, comme si, soudainement, ils étaient plongés dans le soleil...

Dans un même élan, les trois pastoureaux tournent la tête vers l'arbuste et aperçoivent, centre de cette aveuglante splendeur, une jeune fille qui semblait elle-même, modelée de lumière, façonnée dans la lumière.

Cette silhouette était identique à la quintessence même de la lumière.

Bien qu'apeurés, les enfants ébauchent un mouvement de recul, mais d'un geste, la « Demoiselle » les retient :

« N'ayez aucune crainte. »

Puis, plus bas, avec une infinie tendresse :

« Je ne vous ferai aucun mal. »

La « Demoiselle », dont le visage aux traits prodigieusement fins auréolé de soleil paraît singulièrement jeune, le visage d'une jeune fille de dix-huit ans peut-être, porte une robe plus blanche que la neige la plus pure, serrée au cou par un cordon de fils d'or dont les extrémités descendent au-dessous de sa taille. Cette robe tombe jusqu'à ses pieds qui sont nus. Un voile blanc que l'on aurait pu croire tramé des rayons de l'aurore le plus éthéré, bordé de fines broderies d'un or plus resplendissant que le soleil, couvre sa tête et retombe très amplement sur ses épaules.

Ses mains sont jointes à la hauteur de la poitrine et à son poignet droit pend un chapelet dont chaque grain semble une perle incandescente, terminé par une irradiante croix d'argent.

Ses pieds nus effleurent à peine une légère nuée blanche comme l'hermine flottant au faîte des jeunes rameaux.

Lucia reporte son regard sur le visage de la « Demoiselle ».

Elle a déjà vu des images, des gravures; jamais, sur aucune d'entre elles, elle ne se souvient d'un visage, qui, tant par la beauté que par le rayonnement, puisse être seulement comparé à celui qu'elle contemple. Il semble transcender l'auréole qui l'enveloppe.

Ses yeux noirs et sa bouche sourient avec une ineffable douceur voilée d'une imperceptible tristesse.

Alors, la jeune bergère s'enhardit. Elle regarde la « Dame », dont plus tard, pour la qualifier et la décrire, elle ne pourra mieux dire que « Elle était la lumière », et la questionne :

« D'où venez-vous Madame? »

« Je suis du Ciel » lui est-il répondu. Et d'un geste la « Dame » désigne l'azur infini.

« Que veut de nous Votre Grâce? »

« Je viens pour vous demander de vous trouver ici, six fois de suite, à cette même heure, le 13 de chaque mois. En octobre, je vous dirai qui je suis et ce que je veux. »

« Vous venez du Ciel? Et moi, irai-je au Ciel? »

« Oui, tu y viendras. »

« Et Jacinta? »

« Aussi ».

« Et Francisco? »

« Il y viendra aussi. Il doit également réciter son chapelet ».

Lucia pose ensuite plusieurs questions relatives à deux

jeunes filles qui viennent de mourir. Puis la Dame s'adresse directement aux trois enfants :

« Voulez-vous vous offrir à Dieu pour faire des sacrifices et accepter volontiers toutes les souffrances qu'il voudra vous envoyer, en acte de réparation pour les péchés qui offensent Sa Divine Majesté? Voulez-vous souffrir pour obtenir la conversion des pécheurs, pour réparer les blasphèmes, ainsi que toutes les souffrances faites au Cœur Immaculé de Marie?

« Oui, nous le voulons. » répond Lucia.

« Vous allez donc avoir beaucoup à souffrir, mais la Grâce de Dieu vous assistera et vous soutiendra toujours. »

La « Dame » tend alors ses mains vers les enfants. Une lumière immatérielle traverse les petits bergers qui tombent à genoux en invoquant Dieu.

La jeune Lucia rassemble tout son courage et pose enfin la question qui lui brûle les lèvres :

« Pourriez-vous me dire si la guerre finira bientôt? »

« Je ne puis te le dire encore, tant que je ne t'ai pas dit aussi ce que je veux. »

Et la « Dame de Lumière » disparut vers l'Orient.

Les trois pastoureaux rassemblèrent alors leurs brebis qui s'étaient égayées dans la lande, puis tout en les laissant paître, ils échangèrent leurs impressions et réfléchirent à la conduite à adopter.

Tous trois ont bien vu la « Dame » et, jusqu'au moindre détail, leurs perceptions visuelles concordent parfaitement.

Mais, il s'avère que la « Dame » n'a parlé qu'à la seule Lucia. Jacinta, elle, n'a pas participé au dialogue mais entendu toutes les phrases échangées. Quant à Francisco, il n'a pas entendu une seule des paroles prononcées par « l'Apparition ».

Cela semble prouver la bonne foi des trois petits bergers qui n'auraient jamais pu imaginer cette différence essentielle de perceptions.

Le temps s'écoula sans qu'ils s'en rendissent tout à fait compte. Ils songaient toujours à la vision merveilleuse de la « Demoiselle », revoyaient son départ, « toute droite », « tout d'une pièce », vers l'Orient, la merveilleuse lumière émanant d'Elle se confondant progressivement avec celle ruisselant du soleil.

Lucia, la plus mûre et la plus réfléchie des trois, n'eut aucun mal à convaincre ses cousins sur la nécessité de ne rien raconter de ce qui leur était arrivé.

Tout à coup, le soleil disparut à moitié, du côté de la mer, derrière les collines et les contours du ciel prirent des teintes pastel.

Les pastoureaux se levèrent en soupirant et conduisirent leur troupeau sur le chemin d'Aljustrel. Lorsqu'ils parvinrent devant la bergerie des Marto, Lucia prit une dernière fois Jacinta et Francisco à part et leur fit encore promettre de se taire, de garder le silence le plus impératif à propos de l'apparition. Jacinta et le petit pâtre acquiescèrent.

Mais Jacinta, dès qu'elle vit sa mère revenir du marché de Batalha, se précipita dans ses bras pour lui annoncer d'emblée qu'elle avait vu la Vierge.

Et le soir, devant toute la famille rassemblée, elle relata le récit détaillé de l'apparition, excepté la promesse de sacrifices demandée par la « Dame » et la sensation extatique ressentie avant son départ.

Questionné à son tour, le peu expansif Francisco se contenta de confirmer les propos de sa sœur sans rien y ajouter.

Et le lendemain, tout le village savait : la Vierge était apparue sur la Cova Da Iria à trois enfants, Lucia de Santos, Jacinta et Francisco Marto. Ainsi, toute la population attendit avec impatience le 13 juin suivant.

Ce même 13 mai 1917, en des endroits forts éloignés du globe, deux événements qui, par la suite, revêtiraient une signification d'une ampleur toute particulière, se déroulaient simultanément.

En Russie, pour la première fois, depuis le début de la révolution, les Bolcheviks attaquaient et pillaient une église.

Et nous verrons quelle place tient la Russie dans les révélations faites par la « Dame » à Fàtima.

Au Vatican, dans le cadre grandiose de la chapelle Sixtine, à l'heure même de l'apparition de la Cova da Iria, se déroulait une cérémonie solennelle accompagnée du faste et des pompes habituels à l'église de ce temps.

Celle-ci était présidée par le pape Benoît XV en personne, qui le 5 mai, avait ajouté, *in fine* des litanies de la Vierge l'expression « Reine de la Paix ».

Cette célébration avait pour objet la consécration à la dignité d'archevêque de Monseigneur Eugenio Pacelli, qui, en 1939, deviendra Pie XII, 106e pape de la prophétie de Malachie avec pour devise « Pastor Angelicus », le « Pasteur angélique ».

Cette « coïncidence » n'échappera pas au futur Souverain Pontife. Et il ne l'oubliera pas non plus, déclarant le 4 juin 1951, soit *trente-quatre* ans plus tard, lors de l'inauguration de l'église Saint-Eugène à Rome :

« ... Cette date, grande, formidable dans notre vie, et peut-être dans les secrets desseins de la Providence sans que nous puissions les pressentir, en préparait une autre plus formidable encore, celle où le Seigneur ferait peser sur Nos épaules la sollicitude de l'Église universelle. Cependant, à la même heure, sur la montagne de Fàtima, se produisait la première apparition de la blanche Reine du Très Saint Rosaire, comme si la Mère de Miséricorde avait voulu nous signifier que, dans les temps orageux qui accompagneraient Notre Pontificat, au milieu d'une des grandes crises de l'Histoire mondiale, nous aurions toujours pour Nous envelopper, Nous protéger, Nous guider, l'assistance maternelle et vigilante de la grande Victorieuse de toutes les batailles de Dieu. »

II

LE SOLEIL, LA DAME
ET LES BERGERS

Que les apparitions mariales de Fàtima aient eu lieu en 1917 ne relève en aucune manière du simple hasard.

A bien des égards cette année-là se révéla étonnante, capitale pour l'histoire de l'humanité, riche en germes d'événements futurs dont la portée apparaîtra souvent comme incalculable.

Aux morts de la grande guerre, 1917 ajoute les premières et nombreuses victimes d'un fléau comme l'on n'en avait pas vu depuis longtemps, digne des épidémies médiévales, véritable peste demeurée tristement célèbre sous le nom de « grippe espagnole ».

Allenby et les Britanniques, exploitant les victoires de la révolte arabe, entrent à Jérusalem, depuis des siècles sous domination ottomane. De cette percée anglaise au Proche-Orient naîtra le protectorat du Royaume-Uni sur la Palestine, lequel engendrera indirectement la création de l'État d'Israël, en 1948.

Depuis cette date, cette région du globe connaît une tension permanente mettant régulièrement en danger la paix mondiale.

En Russie, le tzar Nicolas II abdique le 15 mars, avant d'être massacré avec toute sa famille par les bolcheviks à Iekaterinbourg dans la nuit du 16 au 17 juillet.

De ces bouleversements, de cette révolution sanglante, surgira le plus puissant régime totalitaire de l'histoire contemporaine.

Plus solide et plus virulent que jamais, tout permet de supposer qu'il se tient prêt, qu'il n'hésiterait pas à déclencher une troisième guerre mondiale, un conflit nucléaire, pour conserver intact, voire même agrandir l'empire qu'il s'est constitué à la faveur de la seconde guerre ou les zones soumises à son influence, patiemment imprégnées depuis la fin du dernier conflit.

Sur tous les fronts, sur les champs de bataille comme dans les chancelleries, dans l'âme des peuples comme dans l'esprit des gouvernements, 1917 marque aussi un tournant dans le cours de la première guerre mondiale. C'est l'année charnière, l'année décisive.

Déjà la révolution russe engendre une redistribution des cartes. Les gouvernements Lvov, en mars, puis Kerensky, en août, entendent poursuivre la guerre aux côtés des Alliés.

Mais avec l'arrivée des bolcheviks au pouvoir, commencent les discussions russo-allemandes en vue d'une paix séparée. L'armistice est signé le 15 décembre à Brest-Litovsk au grand soulagement de l'Allemagne qui puise un second souffle dans cet événement providentiel.

Dès le mois de février, Berlin a décidé de se lancer dans une guerre sous-marine sans limite, contre les Alliés et tous ceux qui pourraient les ravitailler.

Cette mesure, initialement destinée à asphyxier la Grande-Bretagne, a finalement pour effet d'amener les États-Unis à rompre leurs relations diplomatiques avec l'Allemagne. Et, le 2 avril, les U.S.A. déclareront la guerre aux Empires centraux. Ils n'entrent pas dans l'alliance, mais *s'associent* aux adversaires de l'Allemagne.

Ainsi, pour la première fois dans l'histoire, la grande puissance du continent américain, l'un des deux futurs « super-grands, intervient directement dans les affaires européennes.

En France, l'usure de la guerre, l'échec de l'offensive Nivelle sur le « Chemin des Dames », en avril, amènent une crise grave dans l'armée et dans la nation tout entière. Pour la surmonter, il faudra faire appel à Pétain qui devient généralissime en mai, et à Clemenceau qui formera son gourvernement en novembre.

Sur le front italien, c'est la catastrophe. Von Below déclenche une violente offensive austro-allemande. Le 24 octobre, il attaque à Caporetto – aujourd'hui Kobarid, en Slovénie – dans la vallée de l'Isonzo. Les armées italiennes de Cardona reculent d'abord, puis craquent complètement en une véritable débâcle, abandonnant 1.500 canons sur le terrain et concédant 180.000 prisonniers.

Nous avons vu qu'au Proche-Orient les Britaniques s'emparaient de Jérusalem, assurant ainsi leur mandat sur la Palestine. Mais, dès le mois de mars, ils avaient occupé Bagdad, s'appropriant ainsi pour des décennies le contrôle des champs pétrolifères mésopotamiens.

Quant aux tentatives destinées à ramener la paix, elles furent nombreuses, en 1917, mais toutes vouées à l'échec, qu'il s'agisse du congrès socialiste de Stockholm, de l'appel solennel du pape Benoît XV au mois d'août, ou de la conférence de Saint-Jean-de-Maurienne qui avait réuni en avril les Alliés et le prince Sixte de Bourbon-Parme, beau-frère et représentant de l'empereur Charles d'Autriche...

Se rapportant à la fois à la Russie et à la Vierge, l'étrange histoire de l'icône de Kolomenskoë qui se déroula au début de 1917, semble figurer en préambule aux apparitions de Fàtima et souligne le lien énigmatique qui paraît relier la volonté de Notre-Dame, les épreuves de l'Église et le destin de la puissante nation slave.

Le 13 février 1917, une paysanne du village de Potchinok entend une voix mystérieuse se manifester au plus profond de son sommeil : « Il y a au village de Kolomenskoë une grande icône noire. Il faut la prendre et en faire une icône rouge. Et qu'on prie ».

Le 26 février, à la suite des ferventes prières, Eudoxie Andrianova, cette paysanne de Potchinok, voit en songe une église blanche où elle entre bientôt. A l'intérieur, une femme d'une impressionnante majesté est assise. Les traits de son visage demeurent invisibles, mais Andrionova ne peut éprouver le moindre doute : il s'agit bien de la Reine du Ciel.

Le 2 mars, Eudoxie Andrianova se rend au village de Kolomenskoë et conte ses deux songes en détail à un prêtre orthodoxe.

Celui-ci montre à la paysanne toutes les icônes de la Vierge vénérées dans son église. Aucune d'entre elles ne ressemblait à celle vue en songe par Eudoxie Andrianova.

Nicolas Likhatchev envoie alors quérir dans une ancienne crypte de l'église une grande icône qui s'y trouvait, plus ou moins oubliée, depuis fort longtemps. Débarrassée de toute la poussière qui s'y était déposée durant tout ce temps, elle laissa apparaître l'image de la mère de Dieu sous son aspect de Reine du Ciel, majestueusement installée sur un trône royal, vêtue d'un ample manteau rouge, une couronne sur la tête, un sceptre à la main, Jésus bénissant sur ses genoux.

Au comble de l'émotion, Andrianova se prosterne aussitôt devant l'icône vénérable.

« La nouvelle gagna vite les environs, raconte Nicolas Likhatchev, et des groupes nombreux de pèlerins commencèrent à visiter le village de Kolomenskoë. A la demande des fidèles, cette icône, après avoir été portée dans tous les villages environnants, visite sans interruption les saints monastères, les églises et les usines de la capitale. D'abondantes faveurs du ciel sont accordées à ceux qui prient devant cette icône. »

Le caractère miraculeux de l'icône de Kolomenskoë fut reconnu officiellement par l'Église orthodoxe. Prêtres et pèlerins, se souvenant alors de la particulière piété dont Nicolas II faisait preuve envers Notre-Dame, en arrivèrent à croire que le tzar avait supplié la Reine du Ciel de ne pas abandonner le peuple qui l'avait renié et de prendre sur Elle le pouvoir suprême.

Tel serait le sens profond de l'icône de Notre-Dame de la puissance, « Derjavneia », aux traits majestueux et sévères avec sa couronne et son manteau royal.

Entre ses mains reposent les destinées de la Sainte Russie. Elle conduira son peuple à travers larmes, sang et souffrances tout au long de la période la plus terrible de son histoire vers le repentir et le renouveau.

Les chrétiens de Russie, en 1917, se raccrochèrent à l'espoir inébranlable que la Vierge, tôt ou tard, interviendrait pour sauver leur patrie, et qu'elle leur accorderait le pardon et le renouveau. La « Kervajnaie », redevenue blanche, s'appelera alors « Notre-Dame-la-Blanche. »

Pendant que se déroulait le cours de l'histoire, que se passait-il au niveau de la mécanique céleste?

Au milieu de cette année-là, se produisait une conjonction Neptune Saturne, restant en orbe durant un an.

Pour les astrologues – Neptune représentant le mysticisme et Saturne la politique, cette configuration qui amorce un cycle de trente-cinq ans environ, revêt une portée considérable.

Elle favorise l'éclosion et l'avènement de principes régénérateurs, nobles et inspirés, engendrant une prospérité à base quelque peu factice mais néanmoins réelle, les facteurs en étant plus psychiques que matériels.

Neptune-Saturne favorise le relèvement moral des sphères politiques, la confiance et la prospérité sur le plan économique, la productivité industrielle.

La période couverte par cette conjonction s'avère bénéfique aux classes laborieuses tout comme aux possesseurs de biens fonciers et engendre une plus-value des matières premières en augmentant la consommation.

Toujours, selon l'astrologie, ces deux planètes en configuration, facilitent également l'infiltration d'éléments *occultes ou religieux* dans les affaires politiques...

Tout ceci dans la mesure où la dite conjonction reçoit de bons aspects.

Or, à cette époque, Jupiter, entre autres, formait avec elle, un sextile presque parfait.

Le choix dans le temps relevant d'une volonté supérieure, il ne pouvait en être autrement pour le lieu géographique.

Pourquoi la « Demoiselle » jetait-elle son dévolu sur la Cova da Iria, à proximité de Fàtima, pour se manifester à six reprises en cette année 1917? Nous ne le saurons peut-être jamais.

Mais, il est un fait indéniable : en quelques années, en quelques mois même, le nom d'une obscure petite bourgade allait bientôt être connu dans tout le Portugal, puis dans l'Europe entière, avant d'être universellement vénéré. Ce que rien n'aurait pu laisser présager.

Le lieu, puisque dans les domaines qui dépassent apparemment notre entendement il existe une logique, présente donc un intêret bien particulier le distinguant parmi tant d'autres possibles.

Il doit en être forcément de même pour son passé.

Déjà, l'histoire lointaine du Portugal et l'étymologie peuvent nous éclairer quelque peu sur un plan tout à fait général.

Avant le Christ, l'ouest de la péninsule ibérique était occupé par les Lusitains ou Lusitaniens. La contrée, correspondant à l'actuel Portugal, portait donc le nom de Lusitanie, avec Olisipo (aujourd'hui Lisbonne), pour capitale.

Elle fut envahie par les légions romaines au IIe siècle avant J.-C. et les tribus celto-ibères des Lusitains furent vaincues.

Le nom de Lusitanie fut transformé en Lusitania et le pays devint province impériale romaine.

La racine latine *lucia* – Lumière – que l'on retrouve dans l'occitan « luz » et dans «Lucifer» – « le porteur de Lumière » – se fait étrangement présente dans le nom primitif comme dans celui de la province impériale.

La masse abrupte du haut-plateau de Fàtima s'étend entre l'Océan et le cours inférieur du Tage.

Située dans le district de Santarém, en Estramadure, à environ une centaine de kilomètres au nord de Lisbonne, Fàtima, en 1917, n'était encore qu'une petite paroisse formée d'une quarantaine de hameaux dispersés dans les replis de la « Serra de Aire », dont Ajustrel où habitaient Lucia, Jacinta et Francisco.

Les sommets autour de Fàtima ne dépassent pas six cents mètres. Ils dominent pourtant la plaine sauvage d'Aljubarrota où se joua le sort du Portugal.

De l'autre côté de la « Serra de Aire », à l'est, s'élève la ville de Tomar, sur les rives du Nabào, dominée par la forteresse templière fondée en 1160 par Gualdim Pais, Grand Maître de l'Ordre du Portugal, l'une des plus puissantes de toute la péninsule ibérique.

En cette ville, Sainte Irène fut martyrisée en 304 pour avoir refusé de manger des viandes immolées aux Dieux. Entre Fàtima et Tomar, à vol d'oiseau, la distance ne dépasse pas vingt kilomètres.

La « Cova da Iria » où apparut la « Dame » le 13 mai 1917, tirerait l'origine de son nom dans le souvenir de la sainte : la combe d'Irène, ou encore la « grotte d'Irène » pour Jacques Vallée[2] qui voit en cet endroit un « ancien lieu sacré ».

62

Avant que les apparitions mariales ne répandent aux confins de la terre ces trois syllabes aux consonances franchement orientales et arabes, on ne connaissait, dans l'histoire comme dans la géographie, d'autres Fàtima que la fille du prophète Muhammad, épouse d'Ali, morte en 632, qui donna son nom au Xe siècle à la dynastie fatimide et surtout fut indirectement à l'origine du Chiisme.[3]

Une vieille légende, au caractère vague et indéterminé, douteuse quant à ses racines historiques malgré certains détails précis qu'elle comporte, expliquerait l'origine du nom de Fàtima.

En 1158, la moitié sud du Portugal, depuis le Tage jusqu'à l'Algarve était encore terre d'Islam. Il advint que de jeunes Maures, garçons et filles richement vêtus, sortirent ce matin de Saint-Jean du château d'Alcacer do Sal en une joyeuse chevauchée pour aller se divertir sur les bords de la rivière.

La brillante cavalcade tombe dans une embuscade tendue par les Portugais du farouche Tragamoiros, dom Gonçalo Herminguès. Ce fut la débandade.

La majorité des chevaliers maures tombèrent les armes à la main, les survivants furent capturés ainsi que toutes leurs compagnes et amenés à Santarem. Dom Gonçalo Herminguès présenta ses prisonniers au roi : Alfonso Henriquès, l'illustre fondateur de la monarchie portugaise qui se tailla un royaume à coups d'épée en un incessant combat contre les Sarrasins.[4]

Le Souverain apprécia vivement la vaillance de ses hommes liges et, soucieux de récompenser dom Gonçalo Herminguès, s'informa de ses désirs. Le noble capitaine répondit courtoisement que l'honneur d'avoir servi son roi lui suffisait amplement, mais ajouta néanmoins qu'en souvenir de cette journée, il aimerait obtenir la main de Fàtima, la plus belle et la plus distinguée des captives, fille du vali d'Alcacer.

Alfonso Henriquès accéda à ce désir, à condition toutefois que la jeune princesse y consente elle-même

63

et épouse de son plein gré la religion chrétienne. Fàtima souscrivit à ces deux requêtes.[5]

Elle fut baptisée, après avoir été instruite de sa nouvelle religion, reçut le nom d'Ouréana, et le mariage fut célébré avec l'éclat qu'il méritait.[6]

Alfonso Henriquès fit présent de la cité d'Abdégas aux nouveaux époux et, à cette occasion, la ville changea de nom, prenant celui de sa nouvelle maîtresse, Ouréana, aujourd'hui Ourém.

Hélas, la jeune épousée rendit l'âme à la fleur de l'âge.

Le cœur plein de douleur, l'esprit et le corps à jamais détourné des satisfactions et des plaisirs terrestres, dom Gonçalo Herminguès consacra alors sa vie au service de Dieu, en se faisant moine à l'abbaye cistercienne d'Alcobaça, à trente kilomètres d'Ourém, récemment édifiée par Alfonso Henriquès

Quelques années s'écoulèrent.

Les Cisterciens d'Alcobaça décidèrent de fonder un autre monastère, une filiale, dans la montagne toute proche.

D'après les chroniques, le frère Gonçalo fut chargé de cette tâche. La chapelle à peine achevée, il n'eut rien de plus pressé que d'y faire transférer la dépouille de sa défunte épouse, laquelle s'y trouverait toujours sans que nulle inscription n'en signale l'emplacement.

Autour du nouveau monastère, un hameau s'édifie bientôt : Fàtima était née.

L'édifice disparut au milieu du XVIe siècle, mais la chapelle abritant les restes de la belle princesse fut épargnée. De restaurations en transformations, devenue église paroissiales du bourg, elle subsiste encore actuellement.

C'est encore aux alentours de Fàtima au XIIe siècle que se déroulèrent de nombreux combats opposant Maures et Portugais.

Mais c'est surtout à cet endroit que les Portugais remportèrent leur plus importante victoire, essentielle dans l'histoire et l'indépendance même de leur nation.

En effet, les rois de Castille, jusqu'au XIV⁰ siècle, n'avaient pas renoncé à leurs velléités de suzeraineté sur les provinces occidentales de la péninsule ibérique.

En 1385, les Castillans s'apprêtaient donc à envahir le Portugal, avec un maximum de chances de succès. À la bravoure sans limites de ces hommes, s'ajoutait une aptitude sans égale à l'art de la guerre. Leurs armées, infiniment supérieures par le nombre et présentant l'énorme avantage d'une cavalerie puissante, bien organisée et remarquablement aguerrie, se devaient, en toute logique, de remporter une écrasante victoire.

Face à l'armée espagnole, les troupes portugaises du roi Dom Jaoa 1ᵉʳ et de son connétable dom Nuno Alvarès Péreira s'étaient groupées sur le plateau même de Fàtima. Elles donnaient l'impression d'être bien fragiles comparées aux masses castillanes.

Sur l'étendard de dom Nuno était brodée l'image de la Vierge. Le connétable invoqua solennellement sa protection le 13 août. Quant au roi, il fit vœu, si le succès lui était assuré, d'élever un magnifique monastère en l'honneur de Notre-Dame.

Le lendemain, 14 août 385, veille même de l'Assomption, les Portugais, contre toute attente, gagnaient la bataille dans la plaine d'Aljubarrato.

Jaoa 1ᵉʳ tint parole. Pour remercier la Vierge qui avait définitivement sauvé l'indépendance de son pays, il fit construire une église grandiose, Nore-Dame de la Victoire, ainsi que le monastère de la Bataille confié aux religieux de l'ordre de Saint-Dominique.

Ces deux édifices, chefs-d'œuvre du gothique flamboyant manuelin, élèvent au pied de la montagne de Fàtima, leur forêt de fines ciselures et de clochers dentelés en pierre ocrée, témoins hiératiques de l'intervention céleste prodiguée par Notre-Dame aux armées portugaises en cette journée décisive.

Tout près de là, une petite ville s'est construite, A Batalha, seulement distante de quelques kilomètres de Fàtima.

Quant à dom Nino Alvarès Pereira, les Portugais le considèrent à la fois comme un saint et un héros national.

Durant des siècles, les diocèses portugais lui vouèrent un culte traditionnel.

Mais il faudra attendre *Février 1917* pour que l'église reconnaisse et approuve celui-ci officiellement.

Prédestiné, ce lieu l'était réellement dans l'histoire du Portugal, et nous sommes une fois de plus contraints d'admettre que ce n'était pas par hasard si Notre-Dame avait aussi choisi cet endroit bien particulier pour se manifester

Malgré la promesse que s'étaient faite les trois bergers, Jacinta dévoila le secret de l'apparition le soir même. A la suite de cela, ils furent l'objet de différentes tracasseries – sur lesquelles nous ne nous étendrons pas – qui ne les firent pas renoncer.

En effet, le 13 juin, les trois pastoureaux se trouvaient bien à la Cova da Iria, lorsque la Vierge apparut sous un aspect différent. Toujours nimbée d'une lumière hors du commun, Marie se révéla à leurs yeux sous une forme beaucoup plus émouvante : son cœur, hors de sa poitrine, était ceint d'une sorte de couronne d'épines.

Et le « scandaleux » dialogue entre la « Dame de Lumière » et Lucia reprit, cette fois en présence d'une cinquantaine de témoins, pour le moins étonnés.

Nous reprenons les paroles mêmes de Lucia :

« Madame nous a demandé de venir ici. Qu'Elle veuille nous dire ce qu'elle désire. »

Et la Dame d'insister :

« Je veux que vous veniez ici le 13 du mois prochain, que vous récitiez votre chapelet tous les jours. Je veux que vous *appreniez à lire,* ensuite je vous dirai ce que je désire le plus. »

Lucia pose quelques questions à la Dame, apparemment dénuées d'importance – ce qui prouve la bonne foi et la naïveté de l'adolescente – par exemple sur la guérison d'un malade. Ce qui amène de la part de la Dame une réponse très simple :

« Qu'il se convertisse et il se guérira dans *l'année.* »

Vint ensuite, toujours de la part de Lucia, une question essentielle :

« Je voudrais vous demander de nous prendre au Ciel. »

« Oui, Jacinta et Francisco, je les prendrai bientôt [7]. Mais, toi, tu dois *rester plus longtemps ici-bàs,* Jésus veut se servir de toi pour me faire connaître et aimer. Il veut établir dans le monde la dévotion à mon Cœur Immaculé. »

« Alors, je *dois* rester ici-bas, toute seule? »

« Non, ma fille. Et cela te fait beaucoup de peine? Ne te décourage pas. Je ne *t'abandonnerai* jamais. Mon Cœur Immaculé sera ton refuge et la voie qui te *conduira* à Dieu. »

Comme lors de la précédente apparition, la Dame s'éloigna dans la direction de l'Orient après avoir répété ce geste quasi rituel : présenter ses mains d'où jaillit la même lumière.

Cette seconde manifestation avait pu être mesurée dans le temps : un quart d'heure.

Le 13 du mois suivant, en juillet, pour la troisième apparition de la Vierge, ce n'était plus une cinquantaine de personnes qui étaient présentes à la Cova da Iria, mais environ cinq mille!

Les mêmes faits se renouvelèrent : éclair fulgurant, lumière aussi intense qu'indéfinissable, rappel impératif de cette récitation quotidienne du rosaire ainsi que l'insistance sur l'obligation de revenir le 13 des mois suivants. Puis, une phrase décisive de la « Dame » :

« En octobre, je vous dirai qui *Je Suis* et ce que *Je Veux*, et je ferai un grand miracle pour que tout le monde vous croie. »

Confortée par cette révélation nouvelle, Lucia revient sur le thème qui lui est cher, à savoir la guérison de certains malades de son entourage, vœu qui s'avéra par la suite exaucé.

Mais toujours, il semble péremptoire pour la « Dame » que la guérison des malades soit conditionnée par l'attachement sincère à la récitation du chapelet, sorte d'engagement *sine qua non!*

Et, transmutation d'une extrême importance, ce sera justement au cours de cette troisième manifestation que les apparitions de la « Dame » revêtiront un caractère d'ordre prophétique et particulièrement solennel. Avertissement qui, dans le futur, engendrera une résonance à la portée certainement incalculable.

Ce fait extraordinaire, soulignant une césure fondamentale dans le « processus Fàtima » nous est rapporté par Lucia elle-même, « par pure obéissance et avec permission du ciel » :

« Le secret consiste en trois choses distinctes — mais étroitement connexes; je vais exposer deux d'entre elles — la troisième devant continuer à rester enveloppée de mystère ».

« Lorsqu'Elle disait les dernières paroles rapportées ci-dessus, Notre-Dame ouvrit de nouveau les mains comme les deux fois précédentes. Le faisceau de lumière projeté sembla pénétrer la terre et nous vîmes comme une grande mer de feu. En cette mer était plongés, noirs et brûlés, des démons et des âmes sous forme humaine, ressemblant à des braises transparentes. Soulevés en l'air par les flammes, ils retomblaient de tous les côtés comme les étincelles dans les grands incendies, sans poids ni équilibre, au milieu de grands cris et de hurlement de douleur et de désespoir qui faisaient trembler et frémir d'épouvante. »

« Ce fut probablement à cette vue que je poussai l'exclamation d'horreur qu'on dit avoir entendue. »

« Les démons se distinguaient des humains par leurs formes horribles et dégoûtantes d'animaux épouvantables et inconnus, mais transparents comme des charbons embrasés. »

« Cette vue dura un instant et nous devons remercier notre bonne Mère du Ciel qui, d'avance, nous avait prévenus par la promesse de nous prendre au paradis. Autrement, je crois, nous serions morts de terreur et d'épouvante. »

« Alors, comme pour demander secours, nous levâmes les yeux vers la Sainte Vierge, qui nous dit avec bonté et tristesse :

« Vous avez vu l'Enfer où vont aboutir les âmes des pauvres pêcheurs. Pour les sauver, le Seigneur veut établir dans le monde la dévotion à mon Cœur-Immaculé. Si l'on fait ce que je vous dirai, beaucoup d'âmes se sauveront et l'on aura la paix! »

« La guerre va vers la fin (1914-1918), mais si l'on ne cesse pas d'offenser le Seigneur, sous le prochain pontificat (de Pie XI), en commencera une autre, pire. »

« Quand vous verrez une nuit éclairée par une grande lumière inconnue, sachez que c'est le signe que Dieu vous donne qu'il est prochain le châtiment du monde par la guerre, la famine et les persécutions contre l'Église et contre le Saint-Père. »

« Pour empêcher cela, je viendrai demander la consécration du monde à mon Cœur-Immaculé et la communion réparatrice des premiers samedis du mois. »

« Si l'on écoute mes demandes, la Russie se convertira et l'on aura la paix. Sinon, elle répandra ses erreurs par le monde provoquant des guerres et des persécutions contre l'Église; beaucoup de bons seront martyrisés, le Saint-Père aura beaucoup à souffrir, plusieurs nations seront anéanties. Mais, enfin mon Cœur-Immaculé triomphera. La consécration au Cœur-Immaculé se fera, la Russie se convertira et un temps de paix sera donné au monde...[8] »

70

Cette révélation ne sera rendue publique que lors du Jubilé consacré à Fàtima, soit vingt-cinq ans plus tard.

Quant aux propos tenus par la Vierge, ils appellent un simple commentaire qui mériterait d'être médité : au cours des deux premières apparitions, le petit Francisco, d'une certaine manière, faisait figure de « défavorisé » par rapport à Notre-Dame et vis-à-vis de Jacinta et surtout de Lucia.

Or, cette fois là, la Vierge prononce textuellement cette phrase significative qui pourrait être interprétée comme une récompense de la patience dont il a fait preuve jusqu'à ce jour : « Ne dites cela à personne; à Francisco, vous pouvez le dire. »

La quatrième rencontre était déterminée pour le 13 août. Les enfants étaient absents, contre leur gré et de par la force arbitraire de l'autorité civile.

En revanche, dix-huit mille personnes attendaient à la Cova da Iria.

Ce même matin, un *ferblantier* représentant l'administration locale, persuadé que les trois pâtres détenaient un *secret* et voulant leur arracher – rapt pur et simple – les séquestra. Alternant promesses et menaces, ne négligeant pas une mise en scène rappelant l'Inquisition, il se trouva contraint de leur rendre la liberté sans avoir pu obtenir aucun détail.

Il est étonnant, d'après le récit même de Lucia, qui à la suite de cette épreuve n'hésite pas à confesser son désarroi et son sentiment intime que son « aventure » prenait fin, qu'elle n'ait pas éprouvé le moindre sentiment de peur, plaçant toute sa confiance en la Vierge.

Son seul regret, partagé par ses deux cousins : avoir failli à son engagement du 13 août à midi.

Ils ne furent relâchés que le 15 août.

Le 19 août suivant, les trois enfants surveillaient leur troupeau au lieu dit « Valinhos » [9].

Alors que rien ne les y préparait, « Notre-Dame » s'offrit à leur vue.

71

Cette nouvelle apparition reprenait les thèmes habituels des précédentes : la « Dame » se manifesta au-dessus d'un *chêne vert,* réitérait ses instructions relatives à la date du 13 de chaque mois ainsi qu'à la récitation du chapelet...

Fait nouveau, elle félicita les trois enfants pour leur courage face à cette forme de persécution exercée à leur encontre par le *ferblantier.*

Et surtout, elle les assura à nouveau que le miracle prévu pour le 13 octobre aurait bien lieu. Toutefois, elle nuançait ses dires :

« Si on ne vous avait pas enlevés à la ville, le miracle aurait été plus grandiose ». Vous verrez Saint-Joseph avec l'Enfant-Jésus bénissant le monde, ainsi que « Notre-Dame du Rosaire » et « Notre-Dame des Douleurs » [10].

Ceci éveille en nous deux interrogations.

Tout d'abord, malgré la détention des trois petits bergers, « Notre-Dame » semble les tenir pour responsables de leur absence, six jours auparavant.

Pour quelle raison, le prodige annoncé pour le 13 octobre se trouvait-il ainsi diminué?

D'autre part, « Notre-Dame », textuellement, établit une distinction entre la future apparition *de deux entités mariales »* « Notre-Dame du Rosaire» et « Notre-Dame des Douleurs »... Comment peut-on concevoir que la Vierge Elle-Même puisse instaurer deux schémas la désignant dans son unité, ce qui implique une dualité pour le moins curieuse par rapport au dogme?

Cette surprenante et double constatation nous ramène indirectement à ce fameux 13 août 1917 qui rompt le cycle habituel des apparitions de Fàtima et prend désormais une importance certaine, malheureusement peu explicite à notre niveau.

En effet, si les trois pastoureaux se trouvaient absents de l'endroit dévolu, dix-huit mille personnes s'y trouvaient rassemblées.

72

Si aucune manifestation visuelle ne se produisit, il n'en fut pas de même des phénomènes auditifs.

Ces dix-huit mille personnes, à l'unanimité, perçurent un effroyable coup de tonnerre suivi d'un éclair intense pénétrant l'atmosphère et répercutant son éclat sur le sol.

Sitôt après, au-dessus du *chêne vert*, se formait une nuée dont l'ensemble des témoins estimèrent la durée à dix minutes.

Ensuite, elle se dissipa.

Ce décalage entre le 13 et le 19 août n'est sans doute pas dénué d'importance.

Cette journée du 19 est marquée :

1° Par le scepticisme de l'entourage direct de Lucia et de ses cousins.

2° Par le comportement de Madame dos Santos dont l'opposition commence à faiblir.

3° Par une première preuve tangible en ce qui concerne Fàtima. (Sur le plan de l'odorat).

Donc, au retour des « Valinhos », Jacinta et Francisco passant devant la maison de leur tante, la saluent et déclarent avoir encore vu la « Vierge ». Leur tante les traitant de menteurs, ils lui donnent un rameau.

C'était une branche sur laquelle avaient paru s'appuyer les pieds de l'« Apparition » et qu'ils avaient coupée.

Lorsque Madame do Santos prend entre les mains le feuillage vert sombre, se dégage un parfum délicieux d'une essence inconnue.

Nous avons vu que le 13 août, lors de l'absence forcée des enfants, dix-huit mille personnes attendaient néanmoins à la Cova da Iria.

Le 13 septembre, en pleine période de vendanges, époque importante de l'activité économique de la région, ce nombre avoisinait les trente mille !

Entre ces deux dates, sévices et tortures morales infligés à Jacinta, Francisco et Lucia par l'autorité civile s'étaient retournés contre elle.

Le 13 septembre, elle s'abstint donc de toute intervention, impressionnée par la ferveur croissante envers celle que l'on commençait déjà à appeler Notre-Dame-de-Fàtima.

Parmi ces quelque trente-mille personnes, une grande quantité d'entre elles se trouvait sur les lieux dès le matin, attendant le zénith avec impatience.

Lorsqu'arrivèrent les trois bergers, ils eurent à se frayer un difficile passage à travers la foule.

A midi, l'éclat du soleil perdit de son intensité, l'espace parut s'assombrir, puis reprit la même teinte lumineuse que lors des autres apparitions.

Se déplaçant lentement d'est en ouest, un globe irradiant s'offrit à la vue de tous.

Durant tout le dialogue entre la « Dame » et Lucia, une nuée blanche enveloppa le chêne vert et les jeunes pâtres, tandis que tombaient du ciel des sortes de pétales – ou de flocons, les témoins ne purent définir exactement ce détail – de teinte blanche. Mais en revanche tous furent d'accord pour déclarer que ceux-ci se volatilisaient avant d'avoir touché le sol.

Quant au dialogue lui-même, il revêt un caractère semblable aux précédents : encouragement à la récitation quotidienne du chapelet pour obtenir la *fin du conflit,* construction d'une chapelle avec les oboles recueillies, promesse de guérison pour certains malades, nouvelle annonce de son retour le 13 octobre à la Cova da Iria et des prodiges qui l'accompagneront...

A Ajustrel et aux alentours, la matinée du 13 octobre 1917 survient dans une ambiance explosive : le miracle se produirait-il ou non?

La négative entraînerait sans doute la déception, la colère, voire la fureur vengeresse de la foule.

Car, venus d'un peu partout, cinquante, soixante-dix, cent mille personnes peut-être – peu importe le chiffre exact – arrivant depuis la veille en un flot ininterrompu, se trouvent là, attendant à des titres divers et dans la fébrilité l'heure fatidique.

A l'angoisse des familles Marto et dos Santos répond l'étonnante sérénité de Lucia, calme et confiante en elle-même et en les événements.

La température est particulièrement basse pour la saison, le temps couvert. De plus, depuis le début de la matinée, la pluie ne cesse de tomber à verse, transformant la Cova da Iria en un immense bourbier.

A l'heure dite, Lucia et ses cousins, parviennent enfin à se placer devant le petit chêne vert, grâce à un véritable service d'ordre ayant réussi à écarter la foule.

Lucia demande alors que l'on ferme les parapluies. Et la foule obéit...

« A midi précis, Lucie tressaille et s'écrie :

– Un éclair!

Et regardant vers le ciel :

– La voici!... La voici!... »

Sous les yeux de la foule, à trois reprises, une petite nuée blanche se forme autour des trois bergers, puis s'élève jusqu'à cinq ou six mètres. Aux dires des témoins elle ressemblait à une fumée d'encens se dissolvant dans les airs.

La « Dame » était visible aux enfants depuis la première exclamation de Lucia. Son dialogue avec elle reprit :

– Qui êtes-vous Madame et que voulez-vous de moi? interroge Lucia.

La Vision répond :

– Je suis Notre-Dame du Rosaire et je veux en ce lieu une chapelle en mon honneur.

Pour la sixième fois, Elle recommande de continuer à réciter son chapelet tous les jours, ajoutant que la guerre allait vers la fin et que les soldats ne tarderaient pas à retourner chez eux.

Alors Lucia, qui avait reçu d'une foule de gens des suppliques à transmettre à Notre-Dame lui dit :

– J'aurais tant de choses à vous demander!...

Et Elle :

– J'en accorderai quelques-unes; les autres, non.

Et, revenant au point central de son Message :

– Il faut que les hommes se corrigent, qu'ils demandent pardon de leurs péchés!

Et prenant un air plus triste, avec une voix suppliante :

– Qu'ils n'offensent plus Notre-Seigneur qui est déjà trop offensé [1]!

Ce furent les dernières paroles qu'elle prononça ce jour-là.

Elle étendit les mains vers le soleil et celles-ci parurent se refléter, attirant vers l'astre, devenu plus brillant, l'attention des enfants.

Alors, Lucia poussa un cri :

« Regardez le soleil! »

76

La direction de son regard fut suivie par les milliers et milliers d'yeux de la Cova da Iria pour assister à un étonnant prodige : « Le rideau de nuages s'ouvre sur le ciel bleu, et le soleil apparaît au zénith. Il brille sans éblouir, et tremble soudain, s'agite, bouge brusquement, tourne comme une roue de feu, lançant dans toutes les directions des faisceaux de lumière de toutes couleurs, colorant fantastiquement les nuages, le sol, les arbres, les rochers et toute la foule...

« Au bout de quelques minutes le soleil s'arrête, et reprend peu après sa danse colorée. Une deuxième halte, et pour la troisième fois le « feu d'artifice » solaire reprend de plus belle... Soudain ce fut une « chute vertigineuse », le soleil tombant en zig-zag, irradiant une chaleur intense, provoquant une terreur religieuse et une clameur immense... Enfin, le soleil reprend sa place en zigzaguant, et la foule rassurée mais bouleversée chante le *Credo*. Tous étaient trempés, chacun se retrouve avec les habits absolument séchés [12]! »

Ce spectacle grandiose avait duré douze minutes.

Le 13 octobre 1951, un million de fidèles sont rassemblés pour la clôture de l'Année-Sainte mondiale.

Ce même jour, Pie XII s'adresse à eux, par l'intermédiaire des émetteurs radio. Dans ce message, nous ne relèverons que ces termes explicites : « (...) en cette montagne privilégiée de Fàtima, choisie par la Vierge Mère comme trône de ses miséricordes et source intarissable de grâce et de merveilles. »

Et trois ans plus tard, dans le recueil *Attualita di Fàtima* (Rome – 1954 – pp. 76-79), paraissait un récit intitulé « Le Pape de l'Assomption et Fàtima », signé du cardinal Federico Tedeschini que nous reproduisons ci-dessous :

« ... C'était aux jours de la définition (de l'Assomption de la Très Sainte Vierge Marie); pendant l'un d'eux, à l'occasion d'une rencontre, dans une réunion officielle, avec Sa Sainteté, le Saint-Père, visiblement ému, daigna me confier ce qui suit : « Hier, j'ai vu un prodige qui m'a profondément impressionné. » Et il me raconta comment il avait vu le soleil, sous quelle forme, avec quels prodiges, dans quelle apocalyptique convulsion, dont nous savons qu'elle se produisit devant soixante-dix mille personnes à Fàtima!

« Le soleil, qui pourrait décrire comment il était, à moins de répéter les augustes paroles?

« Je restai frappé de stupeur, muet, interdit! C'était la première fois que, pour ainsi dire, j'avais le sentiment de voir et d'entendre parler un ressuscité : *l'Évangéliste inspiré de Patmos!*

« Et le Souverain Pontife, tellement troublé et si ému, comme je ne l'avais jamais vu...

Or, en quel jour, et sous quelle forme se produisit ce phénomène, entre tous prodigieux devant les yeux du pape?

« – C'était le 30 octobre 1950, me narra-t-il, l'avant-veille du jour que le monde catholique tout entier attendait avec tant d'impatience, de la définition solennelle de l'Assomption au ciel de la Très Sainte Vierge Marie. Aux environs de 4 heures de l'après-midi, je faisais ma promenade habituelle dans les jardins du Vatican, lisant et étudiant, comme à mon ordinaire, divers papiers de service. De l'esplanade de la Madone de Lourdes, je montais vers le sommet de la colline, par l'allée de droite qui longe le gros mur d'enceinte. A un certain moment, comme j'avais levé les yeux des feuillets que je tenais à la main, je fus frappé par un phénomène tel que je n'en avais jamais vu jusqu'alors. Le soleil, qui était encore assez haut, apparaissait comme un globe opaque, jaune pâle, complètement entouré d'un cercle lumineux, qui n'empêchait pourtant en aucune façon de fixer attentivement l'astre, sans éprouver la moindre gêne. Un petit nuage, extrêmement léger, se trouvait devant. Le globe opaque se mouvait à l'extérieur, légèrement, soit en tournant, soit en se déplaçant de gauche à droite et vice-versa. Mais, à l'intérieur du globe, se montraient avec une absolue clarté et sans interruption des mouvements très forts. Le même phénomène se répéta le jour suivant, 31 octobre et le 1ᵉʳ novembre, jour de la définition; puis le 8 novembre, octave de la solennité.

Ensuite, plus rien. Plusieurs fois, j'ai cherché en d'autres jours, à la même heure, et avec des conditions atmosphériques semblables, à regarder le soleil pour voir si le même phénomène allait se reproduire, mais en vain. Je n'ai pu fixer le soleil, pas même un instant, demeurant avec la vue éblouie sur-le-champ. *Telle est, en termes simples et brefs, la pure vérité.* »

« Par conséquent, quatre fois; et, les quatre fois, pendant la période de la définition du *dogme de l'Assomption de Marie;* et, une de ces fois le jour même de cette définition, comme pour lui donner toute sa solennité; l'autre et la troisième, l'avant-veille et la veille, comme pour la préparer; la quatrième, en l'octave, comme pour sceller et la fête, et l'événement, et sa prolongation dans le futur [13]. »

Ce « récit » de Pie XII, relatif à un phénomène solaire manifesté à l'aplomb d'un lieu géographique bien peu étendu – le Vatican [14]! – ne fut enregistré par aucun observatoire astronomique.

Mais la « danse du soleil » contemplée quarante-trois ans plus tôt à Fàtima fut perçue dans un rayon de cinquante kilomètres... Là aussi, aucun observatoire n'y fut sensible.

Le 13 octobre 1917 marquera une étape décisive dans l'histoire religieuse du Portugal, accordant à ce pays une importance primordiale dans le contexte des apparitions mariales et des pèlerinages qui en découleront.

Les merveilles de la Cova da Iria, en effet, avaient eu sur les esprits un énorme retentissement.

A partir de ce jour mémorable, le haut-lieu attira des cortèges de fidèles de plus en plus nombreux. On désirait naturellement prier là où la Vierge était apparue avec tant de solennité et avait déclenché des phénomènes apparaissant à tous comme sacrés.

A l'origine, ces pèlerins, isolés ou en groupes, se manifestèrent avec la plus totale spontanéité, venant de tous horizons, envahissant Fàtima d'une façon quasi anarchique.

Leur flot s'amplifiait les dimanches et jours de fêtes. Les 13 de chaque mois, de mai à octobre surtout, on les comptait par dizaines de milliers.

C'était l'époque de la ferveur, des guérisons et des récits que les pèlerins se faisaient entre eux, assis parmi les chênes-verts, tenant entre les mains leur chapelet, nouvellement béni.

A deux reprises la Vierge avait exprimé aux trois pâtres sa volonté de voir construire une petite chapelle à la Cova da Iria, édifice qui lui soit dédié.

Cependant, ce vœu n'était pas davantage respecté par le Clergé local que par le Patriarchat de Lisbonne. Devant ce qu'ils considéraient comme un refus d'obéissance à un ordre divin, ces premiers fidèles de Notre-Dame de Fàtima entreprirent eux-mêmes la tâche. L'inauguration eut lieu le 28 avril 1919.

Malgré cela, tous, dans la région n'étaient pas gagnés à cette nouvelle cause qu'ils cherchèrent à discréditer par différents moyens.

Allant à l'encontre du courant de ferveur populaire, le gouvernement, le 13 mai 1920, n'hésita pas à interdire aux véhicules toutes les routes donnant accès à la Cova da Iria.

Tout cela n'empêcha pas, et même renforça l'attrait que Fàtima exerçait sur les foules.

Comme les pèlerins venaient toujours prier devant l'oratoire, on fit sauter à la dynamite la chapelle au cours de la nuit du 6 mars 1922, trois ans après sa construction. Sur les cinq bombes disposées, une seule n'explosa pas : celle placée à la racine du chêne sur lequel la « Dame » était apparue.

Cet acte provoqua l'indignation, et surtout une première réaction officielle de l'Église : Monseigneur da Silva acheta le terrain et en entreprit l'aménagement.

Les ouvriers, attaquant le sol de leurs pioches, virent sourdre de petits filets d'eau qui formèrent une source.

Quelques années plus tard, à environ six mètres de la première, à l'occasion de nouveaux travaux de terrassement, jaillit une seconde source.

A cette eau furent attribués bon nombre des miracles de Fàtima.

Le 13 mai 1928, pour le onzième anniversaire de l'apparition, fut posée la première pierre de la future basilique.

Actuellement, elle mesure 82 mètres de longueur et s'élève à 50 mètres de hauteur, ce qui en fait le plus grand édifice religieux du Portugal et l'un des sanctuaires parmi les plus connus du monde. Son esplanade d'une surface équivalente à deux fois celle de la place Saint-Pierre peut accueillir un million de personnes.

Elle donne lieu à des processions grandioses et réputées où affluent malades et pèlerins.

Pourtant il aura fallu attendre l'année 1930 pour que l'évêque de Leira donne officiellement l'autorisation de célébrer le culte de Notre-Dame de Fàtima.

Cet évêque de Leira, Mgr José Alvès Corréia da Silva, non seulement permit l'édification de la basilique et l'organisation du pèlerinage, mais sut vaincre les réserves et l'inertie du Clergé.

En effet, dans un premier temps le curé de Fàtima avait été chargé de procéder à une enquête relative aux visions et aux prodiges de la Cova da Iria.

Celle-ci dura un an mais ne vint pas à bout des dissentiments partageant le Clergé.

Mgr da Silva n'eut rien de plus pressé que d'étudier et de faire examiner l'ensemble des phénomènes de l'année 1917.

Il prit soin de questionner méticuleusement Lucia : ses réponses lui parurent simples et sincères.

Gagné à la cause de Fàtima, au bout de sept années, il arrêta le texte définitif d'un rapport long de 31 chapitres qui fut soumis à l'autorité diocésaine le 14 avril 1929.

La lettre pastorale « La Divine Providence » déclarant dignes de foi les apparitions de Notre-Dame de Fàtima et autorisant son culte, fut proclamée solennellement, comme nous l'avons vu, en 1930 le 13 mai.

Cinquante ans après la première apparition de la Cova da Iria, pratiquement à la même heure, une caravelle spéciale se posait sur le terrain militaire portugais de Monte Real : celle du pape Paul VI, se rendant en pèlerinage à Fàtima.

Sept ans plus tôt, son prédécesseur, Jean XXIII, avait ouvert, à la date prescrite, le pli scellé rédigé par Lucia dos Santos, devenue sœur Marie des Sept Douleurs, et contenant le fameux « troisième secret de Fàtima ». Secret qu'il n'avait pas divulgué malgré l'autorisation de la carmélite.

Paul VI accomplissait ainsi son quatrième voyage à l'étranger : le premier l'avait conduit en Palestine, le second en Inde, le troisième à New York. Mais, détail désormais significatif, la première visite qu'il avait envisagée – et qui ne put avoir lieu – était destinée à la Pologne...

Le Pape, après avoir salué et remercié prélats et officiels, prend place dans une vieille Rolls de 1925, décapotée et ornée des armes pontificales et entreprend le parcours long d'une cinquantaine de kilomètres séparant Monte Real de Fàtima.

Le temps est froid, quasi hivernal, avec des rafales de vent coupées de courtes averses...

Debout, dans sa soutane blanche, drapé d'un manteau à

pèlerine écarlate, le Pape répond inlassablement aux innombrables ovations montant de la foule : trois millions de personnes sont massées de part et d'autre de la route pour acclamer Paul VI.

Sirènes des usines et tintements de cloches accompagnent la vieille Rolls noire, à mesure qu'elle s'approche de Fàtima, traversant des villages fleuris naïvement décorés.

Elle atteint enfin Fàtima, puis l'esplanade comble, noire de foule au pied de la basilique blanche.

Le service d'ordre complètement débordé; il lui faudra de longues minutes pour parvenir à fendre la foule enthousiaste et venir se ranger à la tribune.

Le Pape gagne un petit cabinet voisin pour y revêtir les ornements sacerdotaux. Monté sur l'estrade, la crosse à la main et coiffé de la mitre, Paul VI va prier en *sept* langues la Vierge de Fàtima pour ce monde menacé par la famine et la guerre...

Autour de lui ont pris place des prélats, des représentants des familles royales espagnoles et italiennes, les membres du corps diplomatique et une simple religieuse manifestement gênée par cette assistance et toute cette immense foule : Lucia, sœur Marie des Sept Douleurs, sortie exceptionnellement de son couvent...

Seul, en portugais, le Pape célèbre ensuite la messe.

Au cours de l'homélie de cette messe, essentiellement axée sur le thème de la paix, dans l'Église et dans le monde, il déclara notamment, dressant un véritable bilan de la situation du monde et des hommes :

« Vous savez comment le monde est dans une phase de grandes transformations à cause de son énorme et merveilleux progrès dans la connaissance et la conquête des richesses de la terre et de l'univers.

« Mais vous savez et vous voyez combien le monde n'est pas heureux, n'est pas tranquille et la première cause de cette inquiétude est la difficulté pour l'entente, la difficulté pour la paix. Tout semble pousser le monde à la fraternité, à l'unité et, à l'encontre, au sein de l'humanité éclatent encore, épouvantables, des conflits continuels. Deux motifs principaux rendent graves cette situation historique de l'humanité : elle regorge d'armes affreusement meurtrières et elle n'est pas aussi en progrès sur le plan moral que sur le plan scientifique et technique.

« Plus encore, une grande partie de l'humanité souffre toujours de l'indigence et de la faim, tandis que s'est éveillée en elle la douloureuse conscience de ses besoins face au bien-être d'autrui.

« *C'est pourquoi nous disons : le monde est en danger. C'est pourquoi nous sommes venus au pied de la Reine de la Paix lui demander comme don celui que seul Dieu peut donner : La Paix.* »

Paul VI prononçait ainsi les paroles-clefs de son message de Fàtima : *le monde est en danger...*

Seule, la Vierge, Reine de la Paix, peut intercéder en faveur du monde.

Et le Pape de poursuivre par un appel solennel aux hommes de bonne volonté du monde entier :

« Hommes, nous vous disons, en ce suprême instant, rendez-vous dignes du don divin de la paix! Hommes, soyez des hommes! Hommes soyez bons, soyez sages, soyez ouverts à la considération du bien général du monde! Hommes, sachez voir votre prestige et votre intérêt non comme étant contraires mais comme étant solidaires avec le prestige et l'intérêt d'autrui.

« *Hommes, ne pensez pas à des projets de destruction et de mort, de révolution et de subversion! Pensez à la gravité et à l'importance de cette heure qui peut être décisive pour le monde d'aujourd'hui et de demain, et recommencez à vous approcher les uns des autres avec la volonté de construire un monde nouveau.* »

A peine arrivé en terre portugaise, Paul VI avait d'ailleurs donné une indication très nette du sens profond de son voyage dans sa réponse à l'allocution de bienvenue des autorités portugaises : « Nous venons en pèlerin. Nous désirons ardemment rendre un hommage filial à la Très Sainte Mère de Dieu dans la Cova da Iria. Nous y dirigeons maintenant nos pas dans un esprit de prière et de pénitence pour supplier Notre-Dame de Fàtima qu'elle fasse régner dans l'Église et dans le monde le bien inestimable de la paix. »

Il est également à remarquer que le Pape, s'il a insisté sur les dangers menaçant la paix, dans aucun des sept discours qu'il prononça au cours de cette journée, n'a mentionné un seul des conflits locaux alors sévissant dans le monde, Sud-Est asiatique, Afrique, Moyen-Orient... Donc, lorsqu'il proclame la nécessité de prier pour la paix, déclarant « le monde en danger », on est en droit de se demander si, déjà, il ne faisait pas allusion à un futur conflit mondial, ou tout au moins « élargi »...

Paul VI, d'autre part, déclare en substance que la paix est un don que seul Dieu peut accorder.

Mais ce n'est pas un don tout à fait gratuit – d'où la nécessité de la prière adressée à la Reine du Ciel – ce qui semble sous-entendre une totale acceptation, une totale coopération des hommes dans le plus profond d'eux-mêmes.

Peut-être la paix sera-t-elle sauvegardée si la violence disparaît du cœur des hommes...

Après la messe du Cinquantenaire, le Pape déjeuna frugalement dans la maison religieuse de Notre-Dame des Carmes.

Puis, il reçut différentes personnalités portugaises, l'ex-roi Umberto d'Italie, la reine-mère Ionna de Bulgarie, le comte de Barcelone – ayant fixé leur résidence d'exil au Portugal – et... le comte et la comtesse de Paris qui, eux, se sont déplacés spécialement.

A 19 heures, Paul VI regagne sa Caravelle.

88

A un journaliste américain, sans doute déçu de n'avoir pas vu « danser le soleil », qui lui demande si l'ère des miracles est désormais close, le Pape répondra : « L'ère des miracles n'est jamais finie. »

A l'occasion de cette solennelle journée, le gouvernement proclamait une amnistie et la grâce pour tous les déserteurs qui se présenteraient aux autorités avant le 13 octobre...

De retour au Vatican, peu après 23 h 30, depuis une fenêtre de ses appartements privés, Paul VI s'adressait à la foule massée place Saint-Pierre en ces termes :

« A Fàtima, nous avons interrogé la Madone sur les voies à suivre qui mènent à la paix, et il nous a été répondu que la paix était une fin réalisable. »

Paroles à méditer sans aucun doute.

Mais en cette journée du cinquantenaire, contrairement à l'attente de beaucoup, catholiques ou non, le Pape n'avait pas révélé le troisième secret de Fàtima, n'y faisant même pas allusion.

III

LE SECRET

En 1918, la jeune Lucia dos Santos fut confiée aux soins des sœurs de Santa Dolores.

Dix ans plus tard elle prenait le voile, puis entrait au Carmel. Durant cette période de sa vie, la Vierge lui apparut encore à plusieurs reprises.

En 1930, sur la demande expresse de son supérieur, l'évêque de Coïmbra, après maintes hésitations, elle entreprit la rédaction d'un document relatant l'histoire complète des apparitions de Note-Dame et des dialogues qu'elle avait eu avec Elle.

Le tout, remis à l'évêque, fut transmis au Vatican.

Ce cahier contenait les deux premiers secrets de Fàtima, les deux premières parties du message délivré par Notre-Dame en 1917.

Le premier annonçait la disparition prochaine de Jacinta et de Francisco et, par contre, la longue existence terrestre de Lucia.

Le second, beaucoup plus important, révélait différents aspects d'une gravité certaine :

– une vision de l'« enfer »,

– la cessation prochaine de la première guerre mondiale,

– le déclenchement d'un second conflit encore plus terrible au terme du pontificat du pape succédant à Benoît XV « si les hommes ne cessaient d'offenser Dieu »,

– conversion de la Russie à condition que ce pays soit consacré à son « Cœur-Immaculé ».

Cette première partie du message de Fàtima fut dévoilé par Pie XII en 1942, entre autres au cardinal Schuster.

La reconnaissance officielle de celle-ci avait certes eu lieu « après-coup ».

Mais l'antériorité du texte n'est pas contestable. De plus, peu après l'apparition du 13 octobre 1917, Lucia avait donné plusieurs renseignements, lors de l'enquête ecclé-siastique et même aux autorités civiles, révélant par exemple que la « Dame » lui avait confié que la paix reviendrait « avant la fin de l'année suivante ».

Quant à Pie XI, il est mort en 1939.

Dans la nuit du 25 au 26 janvier 1938 il y eut sur toute l'Europe une étonnante aurore boréale demeurée inexpli-quée, qui semble répondre aux lignes du deuxième secret : « Quant vous verrez une nuit éclairée par une grande lumière inconnue, sachez que c'est le signe que Dieu vous donne et qu'il est prochain le châtiment du monde par la guerre, les famines et les persécutions. »

Mais Lucia, devenue sœur Marie des Sept Douleurs, n'avait pas tout révélé dans cette relation. Et elle se refusait énergiquement à la compléter, arguant que la Vierge avait interdit qu'elle en fît part avant 1960 et que ce « troisième volet » devait être remis au pape lui-même.

Elle consentira néanmoins à le rédiger en 1945. Placé sous double enveloppe, il restera à l'évêché de Leira jusqu'en 1957. Année où le nonce du Portugal, Mgr Cento portera personnellement le pli cacheté à Rome.

Pourquoi 1960 et pas avant?

A l'abbé Galamba qui lui posait la question, sœur Marie répondit : « En 1960 on pourra le révéler, parce que ce sera plus clair. »

Sans doute respectueux de la volonté de Notre-Dame à travers celle de la carmélite, le Pape Pie XII auquel fut remis le pli cacheté, ne prit-il pas connaissance du secret, faute de temps.

Et peut-être est-ce fort regrettable. Car ce pape « marial », qui n'hésita pas à divulguer la première partie du message et observa *trente-trois ans* après Fàtina des phénomènes solaires semblables à ceux de la Cova di Iria, n'aurait peut-être pas vu d'inconvénient à rendre public le texte de ce message [15].

D'autant plus qu'il n'avait manqué d'obéir en tous points aux instructions de Notre-Dame de Fàtima, consacrant, entre autres, le 7 juillet 1952, par la lettre « Sacro Vergente Anno » les peuples de Russie au Cœur-Immaculé de Marie...

Arrive la fatidique année 1960, année de grande tension Est-Ouest, de conférences internationales, d'impasses et d'échecs diplomatiques. Année aussi où la France rejoint le clan des puissances nucléaires.

Jean XXIII, ce pape que l'on qualifie d'« initié », sans doute à juste titre, avait chargé, dès l'été 1959, certains de ses plus proches collaborateurs d'une enquête approfondie concernant les phénomènes de Fàtima, et ce, dans le plus grand secret.

A la même époque – toujours sur ce même thème – les consultations archi-confidentielles se succédaient à Castel-Gandolfo. Parmi les visiteurs discrets du pape, l'énigmatique Cardinal Ottaviani, le confesseur de Jean XXIII, Mgr Cavagna, Mgr Tavarès, Portugais et futur évêque de Macao, les cardinaux Agagagnan et Cardini, reçus, paraît-il, après serment de garder le silence.

Toujours est-il que, à une exception près, comme nous le verrons, la discrétion la plus totale fut toujours observée, tant sur cette enquête que sur ces consultations.

Finalement, l'échéance étant atteinte, Jean XXIII et le seul cardinal Ottaviani, préfet du Saint-Office, s'enfermèrent dans une pièce.

Le pape descella l'enveloppe.

Il lut lentement le message rédigé en un mauvais portuguais et déclara au cardinal l'avoir compris, bien que ne parlant pas cette langue [16]. Il médita quelques minutes, puis replia la lettre pour la placer dans une nouvelle enveloppe qu'il scella à nouveau.

Ensuite, le « troisième secret » fut déposé dans l'une des sections particulièrement secrètes des archives du Vatican ou même du Saint-Office qui le sont bien davantage [17].

Et Jean XXIII ne souffla mot du contenu de ce troisième message.

Important ou insignifiant, pourquoi ne pas en révéler la teneur, alors que la date était fixée par Notre-Dame qui l'avait signifiée à Lucia?

Le pape en repoussa la divulgation à vingt ans. Officiellement, le préfet du Saint-Office, le cardinal Ottaviani n'en aurait même pas eu connaissance.

C'est à partir de ce « black-out » que les rumeurs les plus contradictoires circulèrent sur la teneur du « troisième secret ».

Plus tard, circulera également l'hypothèse selon laquelle des courriers diplomatiques du Vatican instruisirent les gouvernements russe et américain – alors en pleine tension – du message alarmant de Fàtima.

Sept ans plus tard, le 11 février 1967 exactement, le « troisième secret » de Fàtima était à nouveau évoqué publiquement, à l'occasion d'une séance solennelle de l'Académie Pontificale Mariale Internationale organisée à Rome.

Curieusement, alors que des précisions étonnantes concernant ce brûlant sujet allaient être fournies, cet événement passa pratiquement inaperçu du grand public et fut à peine signalé dans la grande presse.

Pourtant on se trouvait à la veille du cinquantenaire de la première apparition de Fàtima où Paul VI devait se rendre.

Différents prélats prirent la parole devant environ deux mille cinq cents personnes authentifiant le fait de Fàtima, qu'il s'agisse des apparitions, du message, de l'insertion du surnaturel dans l'histoire des hommes.

« En notre temps d'athéisme matérialiste, Fàtima vient démontrer d'une manière éclatante que le monde surnaturel existe » devait, par exemple, déclarer le cardinal de Lisbonne.

Ce même cardinal de Cerejeira révéla qu'il avait lu, en son temps, une lettre de Lucia, datée du 6 février 1939 adressée à l'évêque de Leira. Le document déclarait comme « imminente la guerre prédite par Notre-Dame ».

Mais le plus étonnant revenait encore au fameux cardinal Ottaviani.

D'emblée il devait préciser que « puisqu'un secret était un secret » on ne pouvait attendre de lui qu'il le trahisse [18].

Puis il raconta sa première visite à Fàtima et l'entrevue qu'il avait eue avec Lucia à cette occasion. Celle-ci lui avait alors dit avoir reçu trois secrets : le premier se rapportant à la mort de ses cousins, le second relatif à la guerre mondiale, le troisième destiné au pape.

Il affirma que Lucia autorisait son évêque à lire la lettre – le « troisième secret » donc! – qu'elle lui faisait parvenir afin qu'elle soit transmise au pape...

Ainsi le « troisième secret » était *pour le pape* mais l'évêque de Leira pouvait en prendre connaissance!

Mieux, le cardinal relata la scène de l'ouverture de l'enveloppe : Jean XXIII en ayant lu le contenu, lui tendit la lettre en disant « J'ai tout compris » et l'engagea à la lire à son tour.

Ainsi donc, le cardinal connaissait le contenu du « troisième secret ».

Poursuivant son discours, il annonçait à la fois que Paul VI disposerait du secret comme bon lui semblerait, et que ce même secret ne serait pas révélé... après avoir averti que c'était le Saint-Office qui avait interdit l'accès du couvent où s'était retirée Lucia.

Mystérieux cardinal qui semble multiplier les contradictions à dessein... tout en ramenant l'étendue du message à sa plus simple expression : mort des petits Marto, guerre mondiale, pour le pape...

La même année 1967, Paul VI fit rechercher par Mgr Capovila les documents concernant Fàtima dans les « papiers personnels » de Jean XXIII [19].

Avec celui-ci, la question des rapports de la papauté avec le « troisième secret » se fait encore plus troublante.

En effet, Paul VI aurait pris connaissance du fameux pli avant son voyage du cinquantenaire. A la lecture de ce texte il aurait été pris de malaise et serait demeuré perturbé durant plusieurs jours.

Et le 13 mai 1967, il aurait néanmoins rencontré sœur Marie des Sept Douleurs : à partir de cette date son comportement aurait totalement changé.

Mais, pour d'autres, il aurait obstinément refusé d'accorder une audience à la religieuse désireuse de voir son message dévoilé au monde...

Quant à Jean-Paul Ier, il aurait succombé purement et simplement : son cœur affaibli n'aurait pas supporté une telle information.

On ignore totalement si Jean-Paul II a consulté ou non le pli du « troisième secret ». Logiquement, étant donné sa dévotion toute particulière envers Notre-Dame, on pourrait le supposer. Mais rien ne permet de l'affirmer ni de l'infirmer.

Peu après l'attentat du 13 mai 1981, un membre du bureau de presse du Vatican, questionné à ce sujet, répondit simplement et à titre personnel : « Je crois que le "troisième secret" de Fàtima est conservé dans une enveloppe scellée qui se trouve dans les archives personnelles de Jean-Paul II ».

Naturellement, l'étrange et incompréhensible silence de l'Église ne pouvait que favoriser l'éclosion d'innombrables hypothèses relatives à la nature de ce fameux « troisième secret ».

Aucune ne peut être dédaignée, mais il convient de les envisager toutes avec beaucoup de circonspection. C'est pourquoi nous nous contenterons de les énumérer, sans les commenter aucunement, ni surtout émettre à leur encontre un quelconque jugement.

Marie-Jeanne Edel estime que le troisième volet du secret de Fàtima la concernerait personnellement. Celui-ci la désignerait avec mission de retrouver le Pontife de l'Église Universelle, ainsi que le Grand Monarque attendu par certains milieux occidentaux pour redresser la France, puis le monde.

Elle s'en explique dans deux livres, *le Sort de la Terre entre les mains de la France* [20] et surtout *la Croix, le Bûcher, pour rien?* [21] ainsi que dans une interview accordée à François Mattéi publiée dans le *Journal du Dimanche* du 17 mai 1981.

La plupart font appel à différentes formes de fléaux ou catastrophes.

Le Mexicain Agostinho Fuentes parle d'une catastrophe mondiale.

D'autres évoquent l'annonce d'un séisme géant ravageant une partie du globe ou la chute sur celui-ci d'un énorme météore. Certains préfèrent retenir la possibilité d'une épidémie ou d'une famine – l'une comme l'autre sans précédent – décimant la population mondiale.

Un autre argument envisage une révolution particulièrement sanglante éprouvant une grande puissance mondiale.

Mais il en est également, et en grand nombre, qui supputent en toute logique, une révélation ayant trait à l'Église Elle-Même, comme l'Allemand Luis Enrich se bornant à annoncer des luttes internes ou l'Espagnol Joachim Maria Alonso estimant que le « troisième secret » est directement lié à la crise de la foi post-conciliaire.

Une place à part revient à l'écrivain et scientifique Jacques Vallée et à son livre *le Collège Invisible* [22]. Dans cet ouvrage, il étudie l'ensemble du « phénomène Fàtima » en établissant des comparaisons avec d'autres apparitions mariales, ce qui ne manque pas d'intérêt.

Sans chercher spécialement à percer la nature du « troisième secret », il n'en nie nullement l'existence, se contentant de prendre note de l'attitude de Jean XXIII : « Un homme que je sais digne de foi a obtenu une description intéressante de la scène qui suivit l'ouverture du message de Fàtima effectuée en 1960 par Jean XXIII. Cet événement eut lieu en secret dans le bureau pontifical, mais un secrétaire put observer les cardinaux quand ils quittèrent le Saint-Père : ils avaient sur le visage une expression d'horreur. Se levant de son siège, le secrétaire s'approcha d'un prélat qu'il connaissait bien : il fut doucement mais fermement repoussé par le cardinal qui passa son chemin comme un homme qui vient de voir un spectre. Quelle révélation aurait pu ainsi choquer ces hommes? Peut-être était-ce le fait de se trouver confrontés à un phénomène qui transcende notre réalité et nos croyances les plus nobles, qui transcende notre notion de raison et de foi, et dont l'absurdité semble faite pour égarer nos recherches? Mais pourquoi? c'est la question que nous allons tenter de documenter, faute de pouvoir la résoudre complètement [23]. »

Jacques Vallée, dans le développement de son étude, principalement axée sur les phénomènes solaires, rigoureuse et méthodique, analyse les témoignages, fait appel aux lois physiques connues présentement et conclut : « Je pense que tout est prêt dans notre civilisation, pour qu'apparaissent de nouvelles croyances centrées sur les manifestations d'OVNI. De tous les phénomènes qui posent un défi à la science moderne, ce sont les OVNI qui inspirent le plus de crainte et donnent la plus grande impression de majesté; ils évoquent la petitesse de l'homme et la possibilité pourtant d'un contact avec le Cosmos. Les religions que nous avons brièvement passées en revue ont toutes commencé avec l'expérience miraculeuse d'un seul homme. Or, il existe autour de nous des milliers de personnes pour qui le contact avec un autre monde est une conviction intime basée sur l'expérience personnelle des OVNI et de leurs occupants. »

Indirectement, reliant Fàtima au phénomène OVNI, il cerne ainsi la nature du « troisième secret » sans affirmer quoi que ce soit.

Sans établir d'échelle des valeurs, comme nous nous l'étions promis, nous accorderons cependant une attention à une autre supposition pourtant relativement peu citée. « Le troisième secret » concernerait l'Asie : elle devrait être le champ clos d'événements si dramatiques qu'ils entraîneraient des prolongements pour le monde entier.

Par ailleurs, le père J. Alonzo, historien, qui fut chargé officiellement dès les années 1960 d'écrire une histoire exhaustive de Fàtima, affirme n'avoir jamais eu communication du texte reproduisant le « troisième secret ».

Ce qui ne l'a pas empêché d'écrire sur ce même secret un petit livre, s'en tenant, il est vrai, à des conjectures.

Le cardinal Ottaviani n'avait sans doute pas tort de déclarer au Congrès marial du 11 février 1967, lors de son intervention, que le Saint-Office avait interdit l'accès du couvent de sœur Marie des Sept Douleurs. Mais peut-être aurait-il dû préciser la date de cette mesure.

Car trois personnes au moins furent reçues par Lucia, en dehors de son confesseur naturellement.

Le premier, il est vrai, était un religieux, le père Lombardi, venant avec une recommandation papale en bonne et due forme.

A travers la grille du parloir, évoquant bien sûr ce fameux « troisième secret », il lui demanda : « Dites-moi au moins si les paroles que vous avez entendues de la Vierge permettent de croire que nous allons vers un monde meilleur? »

Et de s'entendre répondre :

– Mon père, un grand renouvellement est nécessaire. S'il ne s'accomplit pas, seule une portion limitée du genre humain sera sauvée.

Soulignons au passage le caractère conditionnel des propos de Lucia : *grand renouvellement... s'il ne s'accomplit pas...*

Mieux, en 1946, elle accordait une interview (!) à un journaliste – écrivain américain, de confession protestante, qui s'intéressait pourtant de fort près au « dossier Fàtima ».

Celui-ci posa froidement la question suivante à la Carmélite :

– Est-ce que Notre-Dame a parlé de la fin du monde?

Et Lucia rétorqua avec beaucoup de sagesse :

– Je ne peux pas répondre.

Proférant ces paroles, celle-ci semble vouloir nettement souligner une impossibilité, plutôt que d'obéir à un interdit. Interprétée ainsi, sa phrase devient beaucoup plus explicite...

En 1957 encore, le père Fuentès, missionnaire Sud-Américain, rencontra Lucia en son Carmel. Lui, apparemment, s'était complu à répandre, après son entrevue, des propos terrifiants. Où peut-être les avait-il simplement perçus comme tels. Aussitôt, ses supérieurs le rappelèrent, assez vertement d'ailleurs, au respect de la discipline et de la discrétion.

Dans l'*Osservatore Della Domenica* du 15 octobre 1978, paraissait un article intitulé « Prophétie et Réalité » sous la signature de Mgr Corrado Balducci, prélat de congrégation romaine pour l'évangélisation des peuples. On pouvait y relever la phrase suivante, toujours bien sûr à propos du « troisième secret » : « Des indiscrétions à son sujet ont été publiées après que – selon ce que l'on a dit – le texte fut porté à la connaissance du président des États-Unis et du chef de l'U.R.S.S. vers 1963. »

Nous avons vu qu'une étonnante incertitude, dans cette affaire, recouvrait la période du pontificat de Paul VI.

Ainsi, non seulement ce pape aurait pris connaissance du « secret » l'année même de son élection, contrairement à ce que l'on aurait pu croire, mais en aurait même fait part à des chefs d'États étrangers.

La rumeur n'a jamais été démentie.

Cependant, on ignore si le Souverain Pontife a communiqué l'ensemble du texte ou simplement une partie, s'il limita cette divulgation aux chefs d'États russe et américain, ou bien s'il l'étendit aux gouvernements anglais et

104

français, certains ont même parlé de *tous* les chefs d'État. Mieux, si cette démarche eut bien lieu dès 1963 comme le laisse entendre Mgr Balducci, ou seulement en 1967 après le pélerinage du cinquantenaire...

Toujours est-il que des fuites peut-être consécutives aux messages de Paul VI semblent bien avoir existées.

Effectivement, dès le 15 octobre 1963, une partie du « troisième secret » était publiée par le journal allemand *Neues Europa* de Stuttgart [24]. Il s'agissait d'un extrait du « secret » de source diplomatique.

Actuellement, *Neues Europa* a disparu et ses archives n'ont pas été retrouvées.

Peu après, un tract édité par une « association » de Marie-Corédemptrice, circulait en France. Il n'est pas sans intérêt et inspiré de la publication allemande. Nous le reproduisons intégralement en Annexe I.

L'article de Mgr Balducci classe aussi parmi les « indiscrétions » les révélations du professeur Renzo Bacchera, universitaire turinois réputé pour sa probité intellectuelle, publiées dans un de ses ouvrages intitulé *Prophéties*.

C'est en 1974 que le professeur Renzo Bacchera, personnalité tout à fait éminente, répétons-le, rendit public le texte en sa possession.

L'honorabilité du professeur exclut la possibilité d'une « confidence » de Lucia ou du Souverain Pontife que Renzo Bacchera aurait utilisée, trahissant ainsi la confiance de la religieuse ou du pape. La même objection s'impose si l'on pense à une quelconque – et hypothétique – source ecclésiastique.

Encore une fois, à moins de se référer à un mystérieux personnage demeuré dans l'ombre, informant pour on ne sait quelle obscure raison le professeur Bacchera, on se trouve contraint d'envisager la filière des milieux diplomatiques.

Le professeur Bacchera estime que l'Église a toujours

occulté le secret de Fàtima étant donné la nature terrifiante de celui-ci. La papauté aurait sans cesse reculé devant la responsabilité de créer la panique.

Mais une telle attitude de l'Église ne se justifie pas : la « politique de l'autruche » ne s'est jamais avérée positive.

Et, n'hésitons pas à revenir sur ce point capital, il ne faut toujours pas perdre de vue le ton général du message de Fàtima – ne serait-ce qu'à la lumière de ce qui est officiellement révélé – qui est *conditionnel*...

Le professeur Bacchera, quant à lui, se refuse à prendre parti dans la polémique engagée depuis les années 1960 sur le sens profond du secret, sur sa véracité même.

Par contre, il n'hésite pas à faire remarquer qu'il revient au pape d'avertir solennellement les hommes sur le danger pesant sur eux, telle une épée de Damoclès.

Or, un avertissement implique automatiquement que « les jeux ne sont pas faits ». Avertir, signifie qu'une condition remplie, une prise de conscience effectuée, une réaction salutaire amorcée *à temps*, peuvent éviter que le pire ne se produise.

Nous ne citerons pas d'extraits du texte du professeur Bacchera. En effet, il est étrangement similaire à un second texte publié par le fameux « Centre marial » ou inversement, que nous avons déjà évoqué (voir note 10) et que le lecteur trouvera en Annexe II.

Mais nous l'invitons à n'aborder ce texte qu'avec réserve, prudence et recul, ne perdant jamais de vue que le ton général de Fàtima, nom magique, est *conditionnel* : rien n'est systématiquement irréversible...

Au mois d'août 1969, alors que le pape Paul VI se reposait à Castel-Gandolfo, on refaisait les peintures de plusieurs pièces de ses appartements du Vatican.

A cette occasion, un matin, un camérier du pape s'aperçut qu'un cambriolage avait été commis dans le bureau du pape : un presse-papier en métal précieux, œuvre de Benvenuto Cellini, un crucifix et une bague avaient disparu, la bibliothèque avait été forcée et des dossiers emportés.

L'agence de presse *Italia* diffusa la nouvelle avançant que parmi ces dossiers figurait celui relatif à Fàtima. Un vigoureux démenti de Mgr Valaine, porte-parole du Vatican, fut aussitôt publié...

Une réunion des responsables de la sécurité du Vatican n'aboutit qu'à une seule décision : faire appel au S.I.D., le contre-espionnage italien.

Très tôt, l'enquête s'orienta vers l'entourage immédiat de Paul VI : aucun des ouvriers n'aurait pu pénétrer dans le bureau pontifical. En revanche, un proche collaborateur pouvait mettre à profit ces circonstances...

Et celui-ci aurait agi pour le compte d'une puissance étrangère nominalement désignée dans la troisième partie du « secret » comme devant être responsable des graves événements relatés dans le document de Lucia.

Naturellement, cet épisode, comme tout ce qui approche Fàtima, doit être envisagé avec la plus extrême prudence.

Toujours est-il qu'à l'époque on murmura qu'il serait désormais difficile à un Souverain Pontife de rouvrir le dossier Fàtima. Et pour cause.

Cependant, cet incident – pour le moins – vieux de douze ans, n'a pas été oublié de tous.

Quelques jours après l'attentat du 13 mai 1981, certains n'hésitèrent pas à établir une corrélation entre ceux qui commanditèrent ce cambriolage « politique » et ceux qui armèrent le bras d'un tueur manipulé...

D'innombrables prophéties, près de deux cents, illustres ou quasiment inconnues, de toutes époques et de toutes origines, annoncent pour les années à venir de très dures épreuves.

Bon nombre d'entre elles s'accordent pour faire coïncider à l'approche de l'an 2000 à la fois un très grave conflit, des catastrophes naturelles et la fin de la papauté.

Certaines, moins nombreuses mais sans doute beaucoup plus primordiales, font intervenir au cours de cette période cruciale la venue de l'Antéchrist, le règne du Paraclet puis, finalement la Parousie [25].

Tout cela se manifestant avec l'avènement de l'ère du Verseau et de sa religion de lumière.

Il est bien sûr hors de question d'analyser, ni même de mentionner l'ensemble de ces prophéties! Nous nous bornerons à nous pencher sur certaines, à souligner leurs points de divergences, à révéler les particularités de certaines d'entre elles.

La prophétie de Saint-Césaire d'Arles (470-543) fut découverte parmi les papiers de Mgr du Lau, le dernier des archevêques d'Arles.

C'est un texte latin de cent cinquante lignes articulé en trente-trois versets.

Elle mentionne les principaux épisodes de l'histoire de France, quelques-uns relatifs à l'Europe, et bon nombre intéressant la seule ville d'Arles, ce qui confirme son origine.

Son authenticité ne semble pas contestable.

En effet la première partie annonce, chronologiquement la lutte de Frédégonde et de Brunehaut, la victoire de Charles Martel, les Croisades, la mort de Saint-Louis, les hérésies diverses aussi bien albigeoise que luthérienne, la peste noire sur toute l'Europe, les guerres de religion et l'assassinat de Henri IV entre autres.

Mais une réédition du texte eut lieu en 1524.

Et cette édition de 1524, comportant les événements mentionnés plus haut, continue l'énumération des grandes étapes de notre histoire : règne de Louis XIV, épopée de l'aigle napoléonien, usurpation du trône par Louis-Philippe, Napoléon III, ses campagnes extérieures et le désastre de 1870...

Or, tous ces faits sont postérieurs à 1524!

De même, il y eut une nouvelle réédition en 1853. Celle-ci fait état des deux premières guerres mondiales.

Elle s'achève enfin sur les perspectives d'un conflit plus grave, dévastant encore la France, par le « fer et le feu » jusqu'à ce que « brille l'éclair de la miséricorde divine » du « noble exilé, le donné de Dieu ».

La prophétie d'Orval, connue dans l'Est bien avant la Révolution, trouve sa conclusion dans un présage de la fin des temps coïncidant avec celle de la Papauté. La prédiction, dite de sainte Hildegarde, abbesse des bénédictines du Rupertsberg au XIIᵉ siècle annonce, après le protestantisme et la chute du Saint-Empire la fin d'un monde. Celle de saint Cyrille, un carmélite grec du XIIᵉ siècle également, met l'accent sur la fin de l'Église et de la papauté. Joachim de Fiore prédit que l'Antéchrist occupera un jour le trône de Saint-Pierre et que Rome sera la première a être frappée par le jugement de Dieu.

Joachim de Fiore, en affirmant que le Saint-Siège serait aux mains de l'Antéchrist, ne s'attira pas les foudres de la papauté. Bien au contraire. A sa mort, on déclara qu'il était fort bon chrétien. Ce qui prouve qu'à l'époque la distinction entre « Antéchrist » et « Antéchrist » était encore bien établie.

Curé de Bingen au XVIIe siècle, Barthélémy Holzhauser prophétisa aussi sur la fin des temps et les troubles qui l'accompagneront. Mais il signale une période de répit correspondant à la venue de l'Antéchrist.

Jean de Vatiguerro, pour la fin des temps, ne retient que des bouleversements géologiques, entre autres un terrible tremblement de terre.

Nostradamus, le plus connu de tous les « prophètes » prédit guerres et catastrophes pour la fin de ce siècle. Son œuvre prophétique a sans doute été la plus commentée de toute l'histoire des prophéties, très récemment encore, ce qui n'est pas le cas de celle dite du « Moine Inconnu », visionnaire du XVIIe siècle qui, après avoir prédit les deux premiers conflits mondiaux, en proclama un troisième en ces termes : « De grands désastres de fortune et de biens se produiront et beaucoup de larmes seront versées. Les hommes seront sans âme et sans pitié. Des nuages empoisonnés et des rayons brûlants, plus brûlants que le soleil le plus incandescent à l'Équateur, des forteresses roulantes de fer et des vaisseaux volants remplis de boulets terribles et de flèches, des étoiles filantes mortelles et du feu sulfureux détruiront de grandes villes.

« Ce siècle sera le plus étrange de tous les siècles; car tous les hommes seront fous d'eux-mêmes et du monde et se détruiront les uns les autres. »

Roger Bacon, en 1267, parlait d'un Pape « juste, sincère et saint pour l'aube de la fin des temps », après lequel l'Église amorcerait un déclin inéluctable devant la mener à sa chute finale.

Jeanne Le Royer, religieuse du XVIIIe siècle, écrivit : « ... Notre-Seigneur me mit en doute si ce serait vers la fin de ce siècle, ou dans celui qui commence l'an 2000 qu'arriverait le jugement; en sorte que s'il arrive dans le siècle de 1900, ce ne sera que vers la fin, et que si ce siècle s'écoule tout entier, le suivant ne passera pas avant qu'il arrive, ainsi que je l'ai vu dans la lumière de Dieu. »

Et, plus loin : « Longtemps avant que l'Antéchrist arrive, le monde sera affligé de guerres sanglantes.

« Les peuples se dresseront contre les peuples, les nations contre les nations, tantôt divisées et tantôt unies pour combattre, pour ou contre le même parti...

« Outre cela, je vois que la terre sera ébranlée en différents lieux. »

Une vieille prophétie polonaise, dite de saint Anselme, déclare que, lorsque la lettre « K » sera exaltée dans les murs de Rome, de grands malheurs viendront sur cette ville...

Elle prend aujourd'hui toute sa signification avec Jean-Paul II, dont le prénom est Karol, et l'attentat dont il fut victime.

La célèbre prophétie dite de Prémol remonte selon toute vraisemblance à la seconde moitié du XVIIIᵉ siècle. Elle comprend cent treize versets englobant avec clarté et précision les événements devant se dérouler depuis la Révolution française jusqu'à la fin des temps, plus particulièrement en ce qui touche la France et l'Église.

Le dernier cycle révolutionnaire y commence en 1870 pour s'achever à la fin du XXᵉ siècle, dans la « tempête » : France envahie, schisme dans l'Église avec le Pape fuyant Rome, et un Anti-Pape au Vatican. Mais elle insiste sur la venue d'un envoyé divin « d'une figure resplendissante », décrit les prémices de l'ère du Verseau et la conversion des peuples à la nouvelle « religion ».

L'Anglaise « Mother Shipton » du XVᵉ siècle, a prédit la fin des temps pour la fin du XXᵉ siècle, la voyante américaine Jeane Dixon a vu un pape dont le visage « ruisselait de sang »...

Toutes les prophéties – car il y a bien d'autres! – semblent se rejoindre : guerre, tremblements de terre et raz de marée, fin de la papauté, puis venue d'un nouvel âge...

Joseph de Maistre, prophète occasionnel, écrivait dans les *Soirées de Saint-Pétersbourg* : « Il faut nous tenir prêts pour un événement immense dans l'ordre divin, vers lequel nous marchons à une vitesse accélérée qui doit frapper tous les observateurs.

« Le christianisme sera rajeuni d'une manière extraordinaire, il ne s'agit pas d'une modernisation de l'Église, mais d'une forme nouvelle de la religion éternelle qui sera au christianisme ce que celui-ci est au judaïsme. »

Et d'estimer que cette évolution s'amorcerait en France.

Quant aux apparitions mariales accompagnées de prophéties et de messages – outre Fàtima – La Salette, Kerizinen, Garabandal, San Damiano, toutes, sans exception, constituent un avertissement contre ce monde en perdition, enjoignant les hommes à la prière et à la pénitence.

Notre-Dame a de plus en plus de mal à retenir le bras de son Fils courroucé par l'impiété des hommes. Qu'ils regagnent le sentier de la sagesse et de la soumission avant que l'irréparable ne soit accompli.

Et Notre-Dame est l'intermédiaire entre la Terre et les Cieux. Que l'on restaure son culte, que l'on ait recours à Elle pour qu'elle intercède auprès de son Fils.

Le message, sans cesse répété est simple : que les hommes rendent à Notre-Dame sa *vraie place* et ils éviteront peut-être une catastrophe.

Aussi, ne peut-on s'empêcher de se souvenir de cet article de la Règle des Chevaliers du Temple : « Notre-Dame fut au commencement de la religion et en elle et en l'honneur d'elle, si Dieu plaît, sera la fin de notre religion... »

Ainsi les prophéties, alternant avec les avertissements lapidaires, prennent soudain une dimension inattendue lorsqu'elles sont formulées par des papes, des papes du XXe siècle, qui plus est.

113

Pie X, en 1914, sur son lit de mort mais tout à fait lucide, tint ces incroyables propos : « J'ai vu l'un de mes successeurs du même nom qui s'enfuyait par-dessus le corps de ses frères. Il se réfugiera incognito quelque part; et, après un bref répit, il mourra de mort cruelle.

« Le respect de Dieu a disparu des cœurs. On cherche à oblitérer jusqu'au souvenir de Dieu. Cette perversité n'est que le commencement des maux qui doivent arriver avant la fin du monde. »

Par conséquent, un pape n'hésitait pas à annoncer à la fois, la fin de la papauté, la dégradation du spirituel dans le monde et la fin de ce monde... Et Pie X a été canonisé.

Pie XI alla plus loin encore, prédisant que le christianisme approchait de sa fin, qu'une nouvelle religion surgirait et que ses adeptes persécuteraient les derniers chrétiens.

En 1947, Pie XII présageait à son tour : « Il faut que les hommes se préparent à affronter des épreuves comme l'humanité n'en a jamais connues... »

Ce même Pie XII qui déclara également : « Le retour du Christ n'est pas loin. »

Jean XXIII tint quasiment les mêmes propos : « Le retour du Christ est proche » déclara-t-il. Jean XXIII, le pape initié, serait l'auteur de prophéties – à l'authenticité contestée, il est vrai – annonçant pour 2033 la fin du monde...

Lui aussi...

Avec Paul VI, l'annonce de la Parousie se fait encore plus pressante : « Le retour du Christ est presque imminent », affirmera-t-il.

Et il déclare, en juin 1976 : « Le chrétien rencontrera aujourd'hui encore dans le monde de l'opposition, la persécution, l'injustice; il rencontrera parmi ses frères en la foi, la discorde, l'aversion et jusqu'à la trahison... Cette souffrance est proche de nous; parfois les amis les plus chers, les collègues les plus sûrs, les amis assis à la même table, se retourneront contre nous. La contestation est habituelle à l'infidélité, comme une affirmation de la liberté, la désagrégation de la chrétienté dépasse désormais le schisme; elle peut atteindre au reniement. »

Finalement, Pie XII se montrait le moins pessimiste : en avertissant les hommes d'avoir à se *préparer* à *affronter* des épreuves, il laissait entendre que rien n'était inéluctable et qu'une attitude calme et résolue pouvait éviter le pire...

Toutes les prophéties historiques – apparitions mariales des xixe et xxe siècles mises à part – pouvaient s'expliquer, bien que l'on n'en ait jamais saisi le mécanisme profond, par une angoisse générale, apocalyptique, ressentie par la chrétienté et suscitée du ve au ixe siècle par les grandes invasions, puis par l'approche de l'an Mil, et enfin, aux xive, xve et xvie siècles par une période de troubles, de calamités et de bouleversements radicaux : guerre de Cent Ans, peste noire, derniers soubresauts de l'Empire d'Orient, déchirements de la Réforme.

Déjà, cette explication n'est plus valable, par contre, pour celles des xviie et xviiie siècles.

Avec la Renaissance, surgit l'esprit scientifique qui engendra notre savoir agnostique contemporain. En toute logique on aurait donc pu supposer que l'angoisse de la fin des temps disparaîtrait à jamais.

Mais il n'en fut rien. Bien au contraire, les efforts de la prospective moderne n'ont réussi qu'à enfanter la grande peur de l'an 2000.

Par une démarche scientifique rigoureuse, faisant appel aux disciplines rationnelles les plus élaborées, on en revenait à ces mêmes présages médiévaux dont les rationalistes se gaussent tant...

Mais qu'est-ce exactement que la prospective?

Le regretté Éric Muraise dans son remarquable ouvrage *Voyance et Prophétisme* (Fernand Lanore, Paris 1980), donnait une excellente définition de cette nouvelle voie de recherche, cernant toutes les facettes de celle-ci :

« La prospective est une attitude d'esprit, dont le but est la prédétermination de l'avenir, dans le sens le plus avantageux. Elle admet que science et technique permettent d'infléchir l'événement, à condition de faire concourir l'expérience et les ressources des disciplines les plus variées, pour remettre en cause l'habituel sans limitation *a priori*. Elle se veut lointaine en ses fins, globale en ses matières de recherche, désintéressée pour échapper aux préjugés. Comme la recherche opérationnelle, elle exploite des modèles mathématiques, qui prétendent contenir tous les caractères du problème étudié et qui servent de pâture à des machines électroniques, promues au rôle d'oracles. Mais, la prospective, fort consciente du fait que le qualitatif est difficilement restitué par les mathématiques, si ce n'est à la faveur de conventions incertaines, ne peut prétendre tout mathématiser. Elle porte alors son attention sur les facteurs insolites qui font dérailler les évolutions et aux causes profondes susceptibles de les rénover. C'est un art d'élargir l'éventail des probabilités « en substituant à la table des situations historiques périmées, celle des situations possibles ».

Trois dates capitales marquent l'essor et la progression de la prospective moderne :
– 1972 avec le « rapport " Meadows " »,
– 1973 avec le « rapport " de Tokyo " »,
– 1975 avec le « rapport " Mesarovic-Pestel " ».

Depuis 1950, les prospecteurs, tant Américains qu'Européens s'entendent pour nous annoncer un avenir plutôt sombre, à moins que nous acceptions un type de société radicalement transformé, s'appuyant sur des valeurs totalement différentes de celles qui sont actuellement les nôtres.

Ils avancent que notre civilisation actuelle nous mène à une sorte de suicide collectif inconscient, que seul pourrait prévenir un retour à des structures pré-industrielles avec tout ce que cela implique : réduction du développement technique et des « commodités qui détruisent le milieu vital », abandon de la monoculture et « réduction » des agglomérations proliférante.

Les Américains envisagent comme solution de substituer à la possession matérielle, la possession morale et culturelle, dans un processus de recherche spirituelle sans limite, seule capable de juguler nos ambitions matérielles.

Cela parallèlement à la théorie de l'historien Toynbee qui soutient que les seuls Empires qui apportèrent une paix durable (Romain et Chinois) ont sciemment « arrêté l'histoire ».

Éric Muraise, dans son ouvrage déjà cité, remarque :
« Dans le monde moderne, il faut, de manière analogue, " faire quelque chose, cesser momentanément d'accroître notre puissance et mettre toute notre énergie et notre attention à gagner le contrôle de nous-mêmes et de nos rapports avec autrui, au lieu de l'employer à dominer la biosphère et à imposer la technosphère. C'est ce que toutes les religions et les philosophies ne cessent de répéter depuis longtemps. Il me semble qu'à présent, cela devrait être évident pour tout le monde ". On abordait une mentalité crypto-médiévaliste. »

Ce furent les chercheurs du « Club de Rome », – sorte de « brain trust » des prospecteurs du monde entier – et ceux du Massachussetts Institute of Technology (M.I.T.) qui s'employèrent à identifier la nature des menaces réelles pesant sur notre civilisation.

Pour établir le rapport Meadows on employa deux cents éléments de base : les liaisons diverses engendraient quatre cent quatre-vingts équations. L'ordinateur mettait cinq courbes en évidence :
– Ressources naturelles,
– Population,
– Produit industriel par tête,
– Pollution.
Celles-ci couvraient la période 1900 à 2100. Deux repères capitaux apparaissaient : 2000 et 2030.

Simulation et interaction intervenaient sur cinq variables :

– Niveau des ressources naturelles disponibles naturelles et allure de consommation,

– Taux de pollution,

– Taux de natalité,

– Rendement agricole et capacité de rénovation des sols,

– Usure et durée du capital sous toutes ses formes.

« Il en résultait douze cas typiques, écrit Éric Muraise, dont dix avaient des caractères catastrophiques, soit qu'on se contentait de ne rien faire en laissant les processus se développer librement soit qu'on adoptait des contraintes seulement à partir de l'an 2000, soit qu'on adoptait des contraintes partielles à partir de 1975. »

Dans ces dix cas déplorables, la plupart des courbes s'effondraient entre 2000 et 2030. Vers 2100, elles indiquaient une population réduite avec niveau de vie *très inférieur à celui de 1900...*

« Bien entendu, conclut Éric Muraise au terme de son étude approfondie du rapport Meadows, ces prévisions ne tenaient aucun compte des accidents de parcours susceptibles d'aggraver la situation. »

L'enseignement philosophique de cette analyse scientifique se dessinait : d'une civilisation pragmatique ayant atteint son stade cynique – constante des mutations de civilisations déclinantes – on s'achemine automatiquement vers une nouvelle de type *mystique* ou alliant mysticisme et pragmatisme, au minimum.

Prenant conscience de certaines failles de son analyse, le Club de Rome affina son modèle dans l'orientation de ses travaux, en fonction d'un certain nombre de critères nouveaux.

Cette nouvelle phase de recherches donna naissance au « rapport de Tokyo ».

Celui-ci trouvait sa conclusion dans la perspective d'une

période de mutations périlleuses et irréversibles et, en ce sens, demandait la constitution urgente d'institutions capables d'y remédier.

« La perspective d'un super-gouvernement mondial de technocrates, écrit Éric Muraise, n'était pas sans effrayer, étant donné l'ampleur des responsabilités matérielles et morales à affronter. »

La crise pétrolière, et surtout la famine au Sahel et au Bengla Desch vinrent s'inscrire dans ce contexte.

Le rapport Meadows intégrait quatre cent quatre-vingts équations, celui de Mesarovic-Pestel plus de cent mille et utilisait un modèle à « convergences régionales. »

Les quatre critères retenus pour l'établir seront les suivants :
— Différence des niveaux de vie,
— Démographie,
— Nutrition,
— Énergie.

Il en sortira plus de vingt schémas au moyen desquels il sera possible de se livrer à « l'examen comparé de différents groupes en compétition pour les ressources limitées de la terre, afin d'identifier les sujets de conflits ou d'incompatibilité entre politiques nationales et régionales. »

Le rapport Mesarovic-Pestel précise : « La crise qui s'amorce n'est pas temporaire; nous entrons dans une ère de possibilités déclinantes. Non seulement le cap de l'an 2000 s'affirme périlleux, mais, bien avant cette date, on devra affronter des risques d'effondrements locaux, qui auront d'inévitables répercussions mondiales. Il ne s'agit pas de modérer partout la croissance, comme le supposait le premier modèle, mais de substituer à la croissance anarchique et gaspilleuse une croissance organique, coordonnant les croissances régionales au profit de tous. »

Et Éric Muraise estime que « la seule solution de survie pour l'humanité (...) suppose une révolution mentale à caractère de solidarité. »

Le rapport dénonçait les ressources économiques limitées comme totalement inopérantes, préconisant une gestion de la planète « pour le bien commun », incluant économie et politique liées indissociablement au plan social. D'où planification mondiale à long terme, indispensable si l'on considère que les mesures préconisées ne mettront pas moins de vingt ans avant de concrétiser leurs premiers effets.

« Il faut donc cesser de s'abuser sur des solutions de compétitions, écrit Éric Muraise, qui semblent fructueuses à court terme et qui se révéleront désastreuses à long terme. Par ailleurs, dans le contexte actuel, temporiser, c'est consentir à voir s'accroître les difficultés jusqu'à leur laisser prendre une envergure catastrophique, qui n'aura d'autre issue que la violence. »

Et cet auteur de se demander « ...si ce second rapport ne conduit pas à une sorte de théocratie, susceptible de promouvoir une révolution mentale, sans laquelle la révolution technique et économique reste impossible. »

« Une série de configurations célestes d'une grande intensité se produit déjà à l'approche du deuxième millénaire » écrit Henri d'Amfreville dans *les Temps à Venir* (La Colombe Éd. Paris 1963).

En 1996, la comète de Halley s'approchera de la terre. En 1999, le 11 août il y aura une éclipse de soleil totale sur la région de Beauvais, Compiègne, Amiens et Saint-Quentin. Cette même année se produira une éclipse de lune.

L'an deux mille, estime le même auteur, se situera dans un contexte de lutte cosmique.

Boris Cristoff, dans *la Grande Catastrophe de 1983* (Éd. du Rocher, Monaco 1980), signale une autre éclipse solaire totale pour le 11 juin 1983, heure de Greenwich : 4,38. La durée de son effet serait de deux ans et la nature de celui-ci affecterait les problèmes sociaux, les divisions, les schismes, les intégrations raciales ou l'inverse. Son cône d'ombre totale couvrira l'océan Indien, Sumatra, la Nouvelle-Guinée et l'océan Pacifique.

Dans leur *Traité Pratique d'Astrologie Mondiale*, L. Horicks et H. Michaux (Éd. des Soirées Astrologiques, Bruxelles 1941) publiaient des « Éphémérides Graphiques des planètes lentes » – Pluton, Neptune, Uranus, Saturne et Jupiter – en leurs positions géocentriques valables pour la France et couvrant les années 1850 à 2001. Nous les reproduisons en fin de volume.

Sur le graphique de 1850 à 1937, sont mis particulièrement en évidence les conflits de 1870 et 1914.

Sur le second, couvrant la période de 1938 à 2001, nous remarquons de puissantes conjonctions planétaires pour les années 1940 à 1943, 1947 à 1956, 1958, 1965 et 1966, 1968 et 1969 :

– 1940 à 1943 : Apogée de la seconde guerre mondiale.

– 1947 : début des guerres coloniales (Indochine).

– 1953 à 1956 : « guerre froide » trouvant son paroxisme avec la crise de Suez et le conflit israëlo-égyptien. Pour la France, années les plus dures de la guerre d'Algérie.

– 1958 : Coup d'État militaire à Alger. Changement de régime en France.

– 1965-1966 : Années d'intense activité sur les plans économique, financier, politique et diplomatique. Les négociations européennes marquent un tournant capital, avec le retrait provisoire de la France de la C.E.E. La France sort du « Gold exchange standard », se retire du commandement intégré de l'OTAN, négocie avec l'U.R.S.S., se rapproche de la Chine. Jamais, depuis des décennies, la France n'avait atteint une semblable prospérité sur le plan intérieur, un tel rayonnement et un tel prestige à l'extérieur, symbolisé par le fameux discours de Phnom Penh.

A l'étranger, alors que pour la première fois on parle réellement de désarmement, les troupes U.S. débarquent au Sud-Viet-nam, bombardent le Nord-Viet-nam et interviennent en République dominicaine, tandis qu'éclate le conflit indo-pakistanais.

En ces divers secteurs, la diplomatie française apparaît comme prépondérante et efficace.

Le 8 décembre 1965 le concile Vatican II termine ses travaux qui touchent indirectement la France, « fille aînée de l'Église. »

– 1968 : événements de « Mai », grève générale le 13, manifestations, affrontements entre forces de l'ordre et « gauchistes ». Négociations et accords de Grenelle.

Voilà pour le passé.

Pour l'avenir, ce même graphique souligne de puissantes conjonctions entre 1980 et 1983, 1988 et 1989, 1992, 1994, 1996 et 1997, une plus légère pour l'an 2000.

Le début de l'année 1980 a été marqué, après l'invasion de l'Afghanistan par l'U.R.S.S., par un retour à un regain de tension internationale. Sur le plan purement français, de profonds bouleversements se sont manifestés en 1980 et 1981. N'importe quel lecteur attentif pourra se livrer par lui-même à une analyse plus minutieuse des événements marquants de ces deux années.

En ce qui concerne les autres dates, nous nous bornerons à relever qu'elles semblent devoir être considérées comme des « passages difficiles » et correspondre à certaines époques avancées par différents prophètes anciens et astrologues modernes.

La planète Uranus gouvernera la nouvelle ère, celle du Verseau. Uranus c'est avant tout l' « horloge cosmique », le maître des ondes, électriques en particulier, mais aussi le détonateur, le déclencheur.

Elle est donc, par excellence, la planète des bouleversements qui se manifesteront à l'échelle des individus comme des sociétés.

Affectant la « pensée » plus que la possessivité, elle engendre le goût de la liberté, de l'indépendance et de la nouveauté, mais aussi celui de l'amitié. Elle favorise le

122

respect et la compréhension ressenti par l'être vis-à-vis de son prochain.

Toutes ces notions laissent présager une restructuration totale de la société humaine à tous ses échelons.

Et, dans son sens le plus noble, l'avènement d'une fraternité lumineuse et consciente.

Certes, la prudence et la réserve de l'Église face aux apparitions et aux innombrables prophéties sont bien connues, ce que nous pouvons comprendre et admettre dans une large mesure.

Mais il n'en est pas de même avec Fàtima.

Ses plus hautes instances ont toujours reconnu et cautionné à la fois les apparitions et la totalité du message de Notre-Dame, y compris Paul VI, ne serait-ce que par sa seule présence lors des éclatantes cérémonies du cinquantenaire à Fàtima.

Reprenons l'article de Mgr Corrado Balducci : « Il existe pourtant un texte qui donne à penser et dont l'authenticité semble acceptable : celui que l'on appelle le « secret de Fàtima », écrit-il.

L'hypothèse la plus communément adoptée pour justifier cet incompréhensible silence s'appuie sur la nature même du « secret » : celui-ci serait tellement horrible que sa divulgation entraînerait une panique collective à l'échelle planétaire.

Sans doute le « secret » n'est-il guère réjouissant. Mais est-il nécessaire d'être devin pour s'en rendre compte?

Et Mgr Balducci le reconnaît lui-même volontiers : « S'il s'agissait de bonnes et consolantes nouvelles, il n'y aurait pas de raison de le tenir secret. Mais, au contraire, malheureusement, il semble annoncer des événements pénibles et extrêmement tragiques. »

Dès 1960, un haut prélat portugais avançait que le texte ne serait pas rendu public «étant donné les rumeurs alarmantes qui se sont propagées dans le monde au sujet de ce secret... »

Soutenir une telle thèse paraît absurde : lorsque bombe il y a l'attitude la plus raisonnable n'est-elle pas de la désamorcer?

La révélation du « secret » ne serait-il pas le meilleur, peut-être l'unique moyen, de prémunir l'humanité contre une catastrophe quelle qu'elle soit?

La peur appelle le danger. Toute prise de conscience est libératrice. Une humanité libérée de la peur et de l'angoisse ne pourrait-elle s'organiser pour « faire face », ne cédant nullement à la panique mais au contraire canalisant ses énergies et se transcendant pour affronter l'épreuve?

Une civilisation « réveillée » deviendrait sans aucun doute plus responsable...

D'autant plus, ne nous lassons pas de le répéter, que le contexte général du message de Notre-Dame est conditionnel!

Il faudrait donc chercher ailleurs la raison profonde du silence et de l'ambiguïté du Vatican qui, depuis près de vingt-deux ans, transgresse en outre la volonté de Notre-Dame.

Une question se formule à l'esprit : pourquoi le Vatican ne s'obstinerait-il pas à étouffer le « secret » parce que celui-ci le viserait – directement ou indirectement – ainsi que les hauts dignitaires de l'Église?

Parallèlement à d'autres révélations, le troisième volet du message pourrait effectivement fort bien impliquer des assertions concernant le Vatican, le haut-clergé et même, peut-être, l'Église dans son ensemble.

Le contenu du texte *in extenso* rendu public, le Vatican dévoilerait du même coup ses propres difficultés internes et peut-être la fin prochaine de la papauté et de l'Église sous sa forme traditionnelle.

126

Ce qui, naturellement, lui est tout à fait impossible.

Car, il faut que ce « secret » soit bien embarrassant envers l'Église elle-même pour que Paul VI n'en ait soufflé mot officiellement à Fàtima en 1967.

Ainsi le message non seulement n'épargnerait pas la conduite irréfléchie et irresponsable des hommes en général et de leurs gouvernants temporels, mais fustigerait également celle des personnes qui ont la charge de les guider spirituellement.

Sans nous étendre, nous soulignerons néanmoins le caractère d'extrême dureté du message que Notre-Dame transmit à la Salette le 19 septembre 1846, à Mélanie et Maximin.

Dans celui-ci, la Vierge n'hésitait pas à comparer les prêtres, ministres de son fils, à des cloaques d'impureté et à prédire : « Rome perdra la foi » [26].

Mais rien ne permet de supposer, malgré tout, que la phase finale du message de Fàtima aille aussi loin. Toutefois, il est fort envisageable que Notre-Dame y manifeste un certain courroux face aux discordes et aux divisions régnant au sein de l'Église depuis Vatican II où s'affrontent, entre autres, « progressistes » et « intégristes ».

Et cela, avec en toile de fond, une majorité de prêtres qui, au nom d'un vague « nouvel esprit », adoptent une totale désinvolture dans leur comportement et la conception même de leur ministère allant parfois jusqu'à s'occuper davantage de politique que de religion, délaissant le culte au profit de la propagande.

Tout cela alors que la chrétienté traverse une crise profonde.

Car, indiscutablement, la foi est en nette régression, en Europe Occidentale principalement. Le pourcentage d'ecclésiastiques se fait de plus en plus faible par rapport à la population et les vocations de moins en moins fréquentes. Le nombre des pratiquants diminue irréversiblement. Même dans les campagnes il est maintenant courant de voir un seul prêtre chargé de plusieurs paroisses et l'on ne compte plus les lieux de culte totalement délaissés.

Devant cette situation on imagine fort bien que les querelles de prélats et le laxisme d'une grande partie du clergé puissent paraître totalement déplacés.

Cela s'inscrit fort bien dans le schéma final de Fàtima ainsi que la fin de la papauté – sur laquelle nous reviendrons – justifiant une sévère mise en garde de Notre-Dame.

Face à ce catholicisme anachronique, se cherchant avec difficulté un nouveau visage, se dresse l'islam – la soumission – magnifique, en pleine effervescence, partout triomphant malgré ses apparentes dissensions intérieures.

Le grand hebdomadaire *Le Point* dans son n° 379 du 11 décembre 1979, n'hésita pas à proclamer Muhammad « homme de l'année ». C'était à l'aube de la « révolution » chiite.

Muhammad, au VIIe siècle, s'interrogeait sur Dieu, l'absolu et le salut des hommes. En cette seconde partie du XXe siècle, partout aux quatre coins de la terre son nom est revenu à la pointe de l'actualité, constamment.

On connaît généralement bien l'histoire des Arabes et de l'islam au moyen-age, le rôle déterminant que les tribus bédouines conseillées par T. E. Lawrence jouèrent durant la première guerre mondiale dans l'effondrement de l'Empire ottoman.

Mais, entre ces deux époques charnières, l'islam n'avait guère attiré l'attention. Au XIXe siècle et au début du XXe, pourtant, quelques auteurs se passionnèrent pour l'Orient : Chateaubriand, Gérard de Nerval, Maurice Barrès...

Mais il faudra attendre ce dernier quart de siècle – 1973 exactement, à l'occasion du conflit israélo-arabe – pour que les regards du monde entier se tournent à nouveau vers cette civilisation ayant une religion pour ciment, même si ces regards se montraient parfois intéressés, inquiets ou rancuniers : les Arabes détenaient l'énergie, ce pétrole indispensable à notre économie, à la pérénité de nos structures sociales par voie de conséquence.

Mais de quelque manière que ce soit, le monde arabe sortait définitivement de l'oubli et de l'isolement où il était demeuré plongé durant des siècles. Et avec lui l'islam, sa religion qui connaît un regain de vitalité extraordinaire, un dynamisme spirituel que nous avons peine à percevoir pleinement.

En dépit de ce qui précède, nous continuons généralement à ignorer la nature même de cette force spirituelle. Il est hors de notre propos de vouloir en faire un exposé fut-il réduit à ses grandes lignes. Retenons seulement son principe essentiel fondamental, sur lequel s'appuie l'ensemble de la religion islamique : « Il n'y a de Dieu qu'Allah et Muhammad est son Prophète. » Notons, toutefois, qu'Allah (Al'Ilah) Un et Unique, non engendré et non engendrant, « Celui qui est », peut être évoqué par *quatre-vingt-dix-neuf* noms différents...

Tout le reste est purement secondaire et découle de cet état d'esprit de respect envers la toute puissance et ses diverses manifestations.

Ce qui caractérise l'islam, même si cela doit aller à l'encontre de beaucoup d'idées préconçues, c'est sa tolérance et sa souplesse.

Ainsi il est dit qu' « aucun Arabe n'est supérieur à un non-Arabe ». Et le fait qu'il n'existe pas de véritable hiérarchie ecclésiastique à proprement parler, permet à l'islam de s'adapter sans aucune difficulté aux cultures non-arabes.

Autre caractéristique de l'islam, la notion d' « Umma » (ou « Omma ») qui est la « communauté des croyants », notion essentielle et profondément enracinée dans l'âme musulmane.

Celle-ci implique automatiquement une interpénétration étroite du temporel et du spirituel. De même qu'Islam et

« Nation arabe » constituent un ensemble pratiquement indissociable.

Partout, l'Islam a toujours su démontrer que sa foi parvenait irréversiblement à s'avérer plus puissante que la puissance temporelle.

L'ayatollah Khomeiny est parvenu à vaincre le chah réputé indétrônable.

Mais bien avant, en 1965, en Indonésie – pays comprenant plus de 90 % de musulmans – Soekarno s'était déjà effondré devant la coalition de civils et de militaires dont la seule charte était le Coran : le parti conservateur musulman n'avait pas admis ses sympathies pour les communistes et son alliance avec la Chine populaire, symbole de l'athéïsme.

Il en sera de même au Pakistan pour Ali Bhutto. Le nouveau président, Zia Al-Haq, déclarait dès le 10 février 1979 que le Coran et la « Sunnah » (tradition orthodoxe englobant les conseils, lois et décisions orales du Prophète ainsi que l'historique de sa vie) devenaient la loi suprême de ce pays.

En Algérie, dès 1938, les cheikhs prévoyaient et annonçaient dans les « medersas » (écoles coraniques dans l'enceinte des mosquées) le soulèvement de 1954 contre le pouvoir temporel (représenté par la France en l'occurrence).

L'erreur capitale que commit la IVᵉ république au Maroc fut, en 1953, la déposition puis l'exil, jusqu'en 1955, du sultan Mohammed V : car, s'il était avant tout le souverain temporel du Maroc, il portait en même temps le titre de « Commandeur des Croyants ». En le chassant, les dirigeants français de l'époque – comment n'y ont-ils pas songé? – commettaient un sacrilège. Dès lors les mosquées se dresseront contre les « imposteurs » marocains mis en place par les fonctionnaires du protectorat.

En 1960, le président Bourguiba avait tenté de supprimer l'obligation de l'observance du Rhamadan (jeûne obligatoire As-Siam correspondant au neuvième mois du calendrier lunaire) [27] dans le souci de « moderniser » son pays. Il fut contraint d'abandonner ce projet.

Les gouvernements de Malaisie, mais aussi celui d'Indonésie, sont soumis à de fortes pressions musulmanes intégristes afin qu'ils appliquent à la lettre la loi coranique.

Vincent Monteil, l'un de nos meilleurs islamisants souligne que « tous les leaders des pays de l'Islam se disent musulmans. Aussi ils ne sauraient oublier, sans devenir parjures, leur profession de foi. »

Le 30 avril 1958, l'historien Jacques Benoist-Méchin revenait d'un voyage qui, durant quatre mois et demi, l'avait conduit à travers tout le Proche-Orient arabe, du Caire à Ankara, en passant par Ryhad, Bagdad, Amman, Damas, Beyrouth etc... Le passionnant récit qui en résulta parut en 1974 sous un titre éloquent : *Un Printemps Arabe* [28].

Lors d'une interview qu'il nous accorda le 24 juin 1980 [29] à la question « Que pensez-vous de ce qu'il est convenu d'appeler le réveil de l'Islam? », Jacques Benoist-Méchin répondit, entre autres : « Il existe. C'est-à-dire que depuis quelques années je vois grandir chez nos amis arabes le désir de se qualifier davantage comme musulmans plutôt que comme Arabes. »

Ce réveil de l'Islam, symboliquement consacré par l'avènement d'un siècle nouveau pour les musulmans, notre 21 novembre 1979 se rapportant au 1er jour de l'an 1400 de l'Hégire [30], touche plus particulièrement les couches populaires et, particulièrement les jeunes.

Ce sont eux, et singulièrement les étudiants, les plus enthousiastes, les plus acharnés à réclamer un renouveau islamique dans l'application la plus stricte de la loi coranique et non les doctes ulémas [31].

En Syrie, ils manifestent en faveur de la ségrégation sexuelle, bientôt suivis par ceux d'Égypte où les étudiantes

131

demandent à être séparées de leurs camarades masculins, puis par ceux d'Algérie qui descendent dans la rue tandis que ceux de Tunisie contestent Bourguiba au nom de l'Islam.

Ce sont eux les plus intégristes des fidèles d'Allah.

Ils constituent la majorité des recrues alimentant les maquis islamiques des Philippines, en rébellion dans le sud du pays depuis des années, tout comme l'essentiel de la confrérie des Frères Musulmans qui massacre à Alep, en Syrie, trente-deux élèves-officiers le 16 juin 1979.

Confrérie des Frères Musulmans sévissant dans tout le Proche-Orient, agissant en secret, mais fondamentalement bien implantée en Syrie et en Égypte, qu'aucun pouvoir officiel n'est parvenu à réduire.

En Égypte où une nouvelle branche de la secte, « Matakfariata » a fait son apparition ces dernières années avec pour but avoué de « réislamiser» les pays musulmans.

« Matakfariata » dispose de ses frères-prêcheurs, de groupes armés et de réseaux clandestins. Ce sont ses membres qui assassinèrent un ministre du culte, incendièrent des grands hôtels, des casinos et des night-clubs du Caire.

Certains jeunes de « Matakfariata » rejoignent le désert, s'installent dans des grottes ou des monastères abandonnés pour y mener une vie communautaire ascétique, renouant aussi avec la vieille tradition érémitique née sur cette terre.

Un mouvement d'une telle ampleur, mêlant jeunes, étudiants, Frères-Musulmans parvint même à inquiéter certains gouvernements en place, Arabie Saoudite, Irak, Koweit etc...

Et tout dernièrement encore, le président Sadate fit procéder à des arrestations massives de dirigeants intégristes et de chefs des Frères Musulmans.

Peine perdue sans doute. La Confrérie, telle l'hydre de Lerne, se renouvelle « spontanément » serait-on tenté de dire. D'ailleurs le président lui-même, il y a bien des années, n'en fut-il pas membre? Peut-être même sera-t-il un jour victime des mesures draconiennes prises à l'encontre de cette puissance occulte islamique...

Ce même premier jour de l'an 1400 de l'Hégire, à la mosquée Al-Haram de la Mecque, le Saint-des-saints de l'Islam abritant la Kaaba, alors que du haut des sept minarets les muezzin appelaient à la première prière, cinq cents hommes vêtus de blanc et portant à la taille une ceinture noire, surgirent de la foule et s'emparèrent de la mosquée en prenant des otages.

Ces hommes disposaient de vivres et de tout l'équipement nécessaire pour soutenir un siège.

Effectivement, ils résistèrent dix jours durant, se retranchant en dernier lieu dans les sous-sols.

Finalement, avec le concours indirect d'une équipe du G.I.G.N. dépêchée sur place, se bornant à conseiller les Saoudiens – les non-musulmans n'étant pas admis à pénétrer dans la mosquée Al-Haram – ils furent capturés.

Si, comme on s'y attendait, une centaine d'Iraniens chiites avaient bien participé à l'opération, le reste des rebelles étaient des Saoudiens. Mieux, ils appartenaient pour la plupart à la tribu des Oteyba, cette même tribu qui fournit le gros de ses recrues à la célèbre « garde blanche » saoudienne.

L'identité de leur chef ne fut jamais divulguée.

On apprit simplement qu'il prétendait être le « Madhi » [32], celui dont les Soufis attendent la venue pour la « fin des temps ».

Actuellement, le monde compte plus de neuf cents millions de musulmans dont environ 10 % de chiites.

La religion prônée par Muhammad consistue désormais une des grandes forces vives de la planète. Par la fougue de ses adeptes et leur vitalité spirituelle, l'engagement total de sa jeunesse, jour après jour, elle étale à la face du monde sa puissance retrouvée, son expansionnisme et son ardeur nouvelle.

Car l'islam, tout comme le christianisme, s'estime porteur d'un message universel.

Ainsi, en Afrique Noire, sur dix convertis au monothéisme, neuf se tournent vers l'islam, un seul vers le christianisme. Le Kenya compte sept millions de musulmans, l'Ouganda quatre millions, la seule Tanzanie dix millions.

Mais en Afrique, il gagne, après avoir conquis le Sahel, le Sénégal et le Mali, l'Afrique équatoriale. L'Afrique Noire compte maintenant soixante millions de musulmans sur une population globale de deux cents millions d'habitants.

Partout, en Afrique et en Asie, l'islam accroît sans cesse le nombre de ses convertis. Jusqu'en Chine, où ils seraient vingt millions et même aux U.S.A. où l'islam pénètre de plus en plus la minorité noire.

S'il y a expansion sur les quatre continents, le phénomène se trouve encore renforcé par une démographie vigoureuse.

Ainsi, si l'U.R.S.S. compte actuellement cinquante millions de citoyens musulmans, il est prévu que dans vingt ans un Soviétique sur trois sera musulman.

Aux U.S.A., ils ont franchi la barre des quatre millions, tout comme en Yougoslavie où, dans la seule Bosnie, deux cents mosquées et une faculté théologique ont été construites en dix ans.

La Grande-Bretagne en compte un million, l'Allemagne Fédérale et la Bulgarie un million et demi chacune, l'Argentine un demi-million etc...

L'Islam représente la deuxième religion en France, avec plus de deux millions d'âmes.

Il existe environ vingt-cinq mosquées en France. Celle de Paris, place du Puits-de-l'Ermite, dans le cinquième arrondissement, étalant ses batiments sur un hectare est l'une des plus belles et des plus réputées au monde. On la qualifie parfois de « mosquée cathédrale ».

Ses travaux théologiques font autorité dans le monde

entier et ses activités religieuses, culturelles, sociales et même diplomatiques sont particulièrement actives.

Elle enregistre actuellement de huit à neuf cents conversions par an.

Comment expliquer ce phénomène, cette attirance? Entre autres par l'intransigeance de l'Islam sur l'unicité de Dieu et l'interdiction de tout intermédiaire entre Celui-ci et l'âme humaine.

« Face au rationalisme, Fàtima est un des autels du monde où la Vierge puissante convoque les deux grandes communautés religieuses : christianisme et islamisme, » lit-on, sous la plume de R. Charles-Barzel dans l'*Homme Nouveau* du 6 mars 1960.

Avec cette simple phrase situant la dimension planétaire de Fàtima et de son message, revient à l'esprit la vieille aspiration de rapprochement entre l'Occident chrétien et l'Orient islamique, nécessaire contre-poids aux hégémonismes américain et soviétique.

Le vieux rêve d'union de la Croix et du Croissant, cher aux templiers et aux diverses chevaleries et groupes de pensées islamiques du monde médiéval resurgit.

Peut-être l'opportunité de l'*union* n'a-t-elle pas été saisie à temps. Peut-être que celle-ci n'est désormais plus possible.

Mais reste la possibilité d'un *rapprochement* d'où jaillirait immanquablement autre-chose, « autre-chose », un nouvel état d'esprit *religieux*...

Quoi qu'il en soit, Notre-Dame, la Vierge apparaît comme le principal trait d'union entre le christianisme et l'Islam, et précisément Notre-Dame de Fàtima.

La corrélation de date entre le 13 mai 1917 et le 13 mai 1958, n'avait pas échappé au cardinal Tisserant, grand spécialiste des sciences orientales au sein de l'Eglise.

Et, dans son article, R. Charles-Barzel repose la question : « Pourquoi la Vierge Marie aurait-elle choisi l'insignifiant petit village de Fàtima, du nom de la jeune fille chérie du prophète Mahomet? » Puis, il cite Mgr Fulton Sheen : « ... rien n'arrive jamais du ciel dont les détails ne soient pleins de sens... [33] »

De fait, l'Islam vénère Marie et la reconnaît Immaculée :

« Parle dans le Coran de Marie, comme elle se retira de sa famille et alla du côté de l'est *du temple.*

Elle se couvrit d'un voile qui la déroba à leurs regards. Nous envoyâmes vers elle notre esprit. Il prit devant elle la forme d'un homme, d'une figure parfaite.

Elle lui dit : je cherche auprès de Miséricordieux un refuge pour toi. Si tu le crains...

Il répondit : Je suis l'envoyé de ton Seigneur, chargé de te donner un fils saint.

Comment, répondit-elle, aurais-je un fils? Nul homme ne s'est approché de moi, et je ne suis point une dissolue.

Il répondit : Il en sera ainsi : ton Seigneur a dit : Ceci est facile pour moi. Il sera notre signe devant les hommes, et la preuve de notre miséricorde. L'arrêt est fixé. »

Coran Sourate XIX
« Marie » Versets 16 à 21.

Et :

« Nous soufflâmes notre esprit à celle qui a conservé sa virginité; nous la constituâmes, avec son fils, un signe pour l'univers.

Toutes ces religions n'étaient qu'une religion. Je suis votre Seigneur, adorez-moi. »

Coran Sourate XXI
« Les Prophètes » Versets 91/92.

A Héliopolis (Aym Chams) en Egypte dans l'agglomération du Grand Caire, on trouve une basilique consacrée à Notre-Dame de Fàtima. Le 3 novembre 1953, le cardinal Tisserand s'y rendit afin de couronner une statue de la

136

Vierge à l'intérieur du sanctuaire. Devant celui-ci, il en est une autre, illuminée chaque nuit, avec une inscription en arabe : « Vous êtes la gloire de l'Orient et l'honneur de notre peuple. »

Sur la couronne de cette Notre-Dame de Fàtima d'Héliopolis, resplendit le Croissant de l'Islam transpercé par un sabre...

Il existe une lettre de feu Dom José Correia da Silva, datée du 4 mai 1954 dans laquelle il affirme en substance son espérance de voir s'unir un jour, au jour de l'Esprit-Saint, les forces spirituelles du Christ et de l'Islam, sous le « signe mystérieux de Fàtima ».

Et on ne peut omettre de citer A. Richard : « Il y a une suite, une harmonie, une parenté dans les événements marials, non seulement à l'intérieur de leur série, mais entre cette série et tout le contexte de la révélation et de l'Evangile. Fàtima est justement un maillon de cette chaîne... dont l'essentiel est déjà préfiguré dans l'*Apocalypse de Saint-Jean*, sous le signe de la Femme revêtue de soleil[34]. »

Dans son esprit, le schéma final de Fàtima, pourrait-il ne pas tenir compte de la résurgence de l'Islam, du nécessaire rapprochement des forces vives spirituelles des deux grandes religions révélées et du trait d'union qu'il constitue lui-même en ce processus? Tout cela pris en tant que processus conditionnant la paix...

De tout ce contexte ne pourrait naître qu'une nouvelle spiritualité, qu'une nouvelle religion qui n'en serait plus une au sens que nous avons accordé à ce mot jusqu'à présent.

En fait, sans doute verrions-nous surgir un nouvel état d'esprit, correspondant à des hommes aux dimensions différentes.

Sans doute, l' « Etre religieux » approprié à l'ère nouvelle, celle du Verseau.

En ce sens convergent prophéties, écrits mystiques et suppositions de penseurs traditionnalistes.

Et pour commencer, la plus célèbre peut-être, de toutes les « Prophéties », l' « Apocalypse » de Jean, cette « Apocalypse » qui est aussi la « révélation » (du grec *Apokalupsis*).

Elle-même semble annoncer cette ère du Verseau, avec sa « nouvelle religion » d'une manière très explicite :

« Un grand signe parut dans le ciel : une femme enveloppée du soleil, la lune sous ses pieds, et une couronne de douze étoiles sur sa tête. »

« Elle était enceinte et elle criait, étant en travail et dans les douleurs de l'enfantement. »

(Jean, Apocalypse XII-1/2)

Ne pourrait-on voir là une allégorie parfaite de la naissance d'un nouveau monde, d'une nouvelle ère, de par l'œuvre même de Notre-Dame?

Surtout si l'on reprend, à la lumière de cette image, la conclusion du texte :

« Puis je vis un nouveau ciel et une nouvelle terre : car le premier ciel et la première terre avaient disparu, et la mer n'était plus. » (XXX. 1)

« Et je vis descendre du ciel, d'auprès de Dieu, la ville sainte, la nouvelle Jérusalem, préparée comme une épouse qui s'est parée pour son époux. » (XXI. 2. XXXX)

« Et il me transporta en esprit sur une grande et haute montagne.

Et il me montra la ville sainte, Jérusalem, qui descendait du ciel, d'auprès de Dieu, ayant la gloire de Dieu ». (XXI. 10)

Suit, dans ce chapitre XXI, une description minutieuse – et absolument pas gratuite – de la nouvelle Jérusalem, avec sa muraille, ses douze portes, sa disposition, ses mesures, les *pierres précieuses* ornant les fondements de la muraille etc... autant de « détails » dont le symbolisme mériterait une étude approfondie.

Puis, Jean remarque :

« Je ne vis point de temple dans la ville; car le Seigneur Dieu Tout Puissant est son temple, ainsi que l'agneau ». (XXI. 22)

« Et il me montra un fleuve d'eau de la vie, limpide comme du cristal, qui sortait du trône du Dieu et de l'Agneau. » (XXII. 1)

« Au milieu de la place de la ville et sur les deux bords du fleuve, il y avait un arbre de vie, produisant douze fois des fruits, rendant son fruit chaque mois, et dont les feuilles servaient à la guérison des nations. » (XXII. 2)

Jean, ayant « entendu et vu », tomba aux pieds de l'ange pour l'adorer. Mais celui-ci lui dit : « Garde-toi de le faire! Je suis ton compagnon de service, et celui de tes frères les prophètes, et de ceux qui gardent les paroles de ce livre. Adore Dieu. » (XXII. 9)

Jean a-t-il réellement vu la nouvelle Jérusalem ou bien nous a-t-il légué un message crypté? Cela dépasse notre propos et, à vrai dire, revêt sans doute peu d'importance.

Ce qui est essentiel, par contre, est que ce texte existe et ce qu'il nous propose.

A maints égards nous pouvons y déceler des signes annonciateurs d'un monde nouveau, où « Religion » et « Dieu » n'auront plus tout à fait le même sens, d'un monde qui serait celui du Verseau, avec des hommes plus responsables et plus conscients, plus libres par conséquent.

Joachim de Fiore, moine abbé de Corrazo, pénétré par la pensée johannite, mourut en 1202, après avoir créé la « Congrégation de Fiore » qui se perpétuera jusqu'au XVᵉ siècle.

Adepte d'une conception fondée sur l'évolution cyclique du monde, opposée à celle de l'Eglise qui s'estimait installée *ad vitam aeternam*, Joachim de Fiore nous a légué un système ésotérique qui influença de nombreuses écoles de pensées au sein même de l'Eglise et des « commentaires de l'Apocalypse ».

Mais surtout, vivant dans l'ère du Fils ayant succédé à celle du Père, il prévoyait celle du Saint-Esprit avec la venue de l'Antechrist.

Ses « prophéties – il se refusait à être qualifié de prophète, prétendant seulement avoir le don de « compréhension » – dressent un panorama très évocateur de cette ère du Saint-Esprit avec son culte purement spirituel.

Joachim de Fiore, se plaçant dans la lignée de l' « Evangile Eternel » de Jean de Parme, annonçait et décrivait bel et bien la nouvelle ère du Verseau ainsi que son nouvel esprit religieux.

L'éminent érudit Paul Le Cour a consacré un ouvrage entier à cette ère nouvelle, ouvrage justement intitulé *l'Ere du Verseau*[35]. Dans celui-ci, il estime entre autres que le grand texte auquel se référera l'humanité en ce nouvel âge sera l'Evangile de Saint-Jean et il se livre à une minutieuse réflexion prospective dans le chapitre intitulé « L'Age d'Or » où il avance en outre que la France « semble appelée à recevoir la première l'infux spirituel de la nouvelle révélation. »

La devise attribuée à Jean-Paul II, dans la prophétie de saint Malachie, est *De labore Solis*.

Elle constitue la cent dixième de cette liste de cent onze suivie d'un court paragraphe dont nous donnons ci-dessous la traduction :

« Pendant la dernière persécution que souffrira la Sainte Église Romaine siègera un Pierre le Romain. Il paîtra les brebis au milieu de nombreuses tribulations; celles-ci terminées, la cité aux sept collines sera détruite; et un Juge Redoutable jugera le peuple, le sien. »

Naturellement la prophétie de saint Malachie – dite encore *Prophétie des Papes* – traite essentiellement du devenir de la papauté, comme son nom l'indique clairement, à partir de Célestin II *(Ex castro Tyberis)* qui fut souverain pontife pour les seules années 1143-1144.

Mais comme nous le démontrions dans un ouvrage précédent consacré à ce sujet [36], à travers les devises successives se dessinent, soit la personnalité d'un pontife ou des attributs se rapportant à sa personne (lieu de naissance, patronyme, armoiries etc.), soit des événements se déroulant sous son pontificat ou bien encore, comme cela se produit souvent, les deux schémas à la fois.

Ainsi, grâce à la prophétie des papes on peut retracer dans ses grandes lignes l'histoire de l'Église et celle de l'Europe, puis du monde, ce depuis le milieu du XIIe siècle, jusqu'à la fin du XXe siècle [37].

Mais revenons à Jean-Paul II et à *De labore Solis*.

Interprétant les devises de la prophétie de Malachie, au début du siècle, l'abbé Maître écrivait à propos de celle-ci : « Le soleil c'est le Christ vivant dans son Église ou dans son vicaire. Le travail, la peine, l'épreuve, ce sont les tribulations de toutes sortes qui marqueront les derniers temps. »

L'éminent ésotériste chrétien scindait nettement la cent dixième devise en deux parties distinctes : une première purement spirituelle, une seconde totalement temporelle et ne s'engageait qu'à demi sur le terrain de la prospective.

Travaillant cette devise à multiples facettes en octobre 1978, nous nous interrogions de la manière suivante :

« Sur un plan de pure prospective, on peut se demander si le pontificat de Jean-Paul II ne sera pas marqué par un phénomène d'une extrême importance.

« A ce stade, la devise, tout en désignant Jean-Paul II lui-même et ce de différentes manières, comme nous l'avons vu, aurait un sens caché aussi capital, sinon plus, que son sens premier, et tout à fait indépendant de l'histoire de la papauté.

« Les prémices du phénomène, il est vrai, datent de septembre 1972. Mais le premier acte officiel – et quel acte! – ne se joua réellement que le 23 octobre 1978, le lendemain même presque heure pour heure, de la messe d'intronisation papale : ce 23 octobre à Tokyo, Takeo Fukuda, Premier ministre nippon et Teng Siao-Ping, vice-Premier ministre de la République populaire de Chine ratifiaient le traité de paix et d'amitié conclu entre les deux pays à Pékin le 12 août dernier.

« Cet événement stupéfiant, impensable encore il y a dix ans, va peut-être changer la face du monde.

« Car, avec cet axe Tokyo-Pékin, cette union des deux géants, c'est peut-être la grande Asie qui, d'ici quelques années, verra le jour.

« La Chine aligne ses huit cents millions d'habitants, ses

142

dix millions de kilomètres carrés, ses inépuisables ressources énergétiques et son génie d'assimilation.

« Le Japon apporte ses énormes capitaux, son industrie dynamique, son réservoir de " cerveaux ", sa technologie hors pair, ses méthodes commerciales, etc.

« Plusieurs fois millénaire, la Chine qui, au fond, n'avait guère changé depuis plus de vingt siècles, avec ou sans Mao, grâce au Japon, peut resurgir réellement, devenir une super-puissance industrielle, commerciale, militaire. Et autour de l'axe Tokyo-Pékin, va peut-être s'édifier cette grande Asie dont rêve la race jaune depuis si longtemps. Les romanciers et les " illuminés " du début du siècle ne cessaient d'évoquer le fameux " péril jaune "... La réalité dépassera-t-elle la fiction?

« D'ores et déjà, le pacte sino-japonais fait déjà peur, et à l'U.R.S.S. en particulier, première victime de ce spectaculaire renversement d'alliance, qui accuse bien haut la Chine de vouloir provoquer une troisième guerre mondiale.

« Toujours est-il que cette signature du 23 octobre 1978 peut effectivement annoncer l'aube d'une ère nouvelle. Une ère qui verrait se déplacer vers le continent asiatique le centre de gravité de la planète.

« Or, la Chine, le Japon, c'est l'Extrême-Orient, l'extrême Est...

« Et ne désigne-t-on point le Japon comme l' " Empire du Soleil Levant "? Ce Japon dont le drapeau représente un disque solaire rouge sur fond blanc... " Du travail du Soleil ". »

Et, effectivement, entre octobre 1978 et septembre 1981, en à peine trois ans, on peut maintenant dire que les événements qui se déroulèrent en Asie furent légion et d'une portée aux répercussions internationales dont on ne mesure peut-être pas encore l'extrême importance. Mais en tant que faits, ils demeurent encore frais dans les mémoires et il serait superflu de les énumérer.

Retenons seulement les deux « grands » de l'Asie, la Chine et le Japon.

L'ouverture de la Chine au monde extérieur est désormais réalité, tout comme l'impact de cette puissance sur le reste de la planète. De même la Chine, intérieurement, a tourné une page de son histoire. Nous n'en tiendrons pour preuve que le retentissant procès public de la veuve de Mao et de ses compagnons, largement diffusé dans le monde par la télévision chinoise. Les expositions étrangères se succèdent à Pékin et les échanges commerciaux et culturels entre la Chine et le reste du monde (sauf l'U.R.S.S. peut-être), se développent à une cadence soutenue.

Quant au Japon, par sa compétitivité industrielle et commerciale, il alarme les puissances européennes et, à moindre niveau les États-Unis. Il envahit leurs marchés, progressivement et irréductiblement, dans les secteurs les plus variés – mais essentiellement celui de l'automobile – au point que la C.E.E. tenta de convaincre les responsables nippons de contingenter leurs exportations, mais en vain. Et les puissances européennes envisagèrent sérieusement, pendant un temps du moins, de recourir à des mesures protectionnistes.

Quant à sa technologie, appliquée à l'industrie, elle est sans conteste la plus avancée au monde.

Insensiblement le centre de gravité de la planète s'est effectivement déplacé vers le continent asiatique.

A un tel point que si, il y a quelques années, on parlait d'un dialogue Est-Ouest, oublié plus ou moins depuis au profit d'un dialogue Nord-Sud, il faudra sans doute d'ici peu réenvisager ces deux dialogues, en y ajoutant un second dialogue Est-Ouest axé sur l'Asie, celui-là...

Toujours dans *les Prophéties de saint Malachie,* et à propos de la devise *De labore Solis,* nous écrivions également :

« En envisageant que celle-ci pourrait signifier " Du travail de l'Est " – partant du postulat que Est = Soleil et peut remplacer celui-ci dans une interprétation prospective on arrive à deux hypothèses totalement contradictoires.

« La première la plus rassurante, signifierait que Jean-

Paul II entend " travailler à l'Est " et ainsi redonner espoir à ses frères en religion de par-delà le rideau de fer, soit par de simples encouragements accompagnés d'une complète et totale caution morale, soit qu'il s'emploie à leur apporter un concours plus actif et plus direct.

« Mais, dans un cas comme dans l'autre, en un mot, qu'il poursuivrait l'*Ostpolitik* de ses prédécesseurs, Paul VI en particulier.

« Mais à l'inverse, on pourrait envisager une poussée du monde de l'Est, du bloc communiste, en " travail ", sur tous les fronts que cela soit à l'intérieur, contre l'Église du silence, les dissidents, les minorités ethniques, etc. en un mot un durcissement du régime soviétique avec, éventuellement, des interventions armées comme celles de 1956 en Hongrie ou de 1968 en Tchécoslovaquie, contre des satellites désireux d'abandonner l'orbite de l'U.R.S.S. ou à l'extérieur, politiquement ou militairement, en Asie, en Afrique, au Proche-Orient ou même en Europe occidentale, bref une quelconque offensive soviétique engendrant une nouvelle guerre, froide ou non. »

Bien sûr, nous n'avions pas envisagé l'hypothèse d'un attentat contre Jean-Paul II!

Mais à cet égard, il est tout de même significatif de relever que le tueur qui tenta de l'éliminer était turc, donc originaire *d'Asie*...

Et que l'on peut maintenant avancer avec une quasi certitude que le complot ourdi pour mettre fin aux jours du Saint-Père avait été mis au point par le K.G.B. comme le démontrait une émission de la T.V. anglaise dès le début de septembre 1981.

Hypothèse qu'avait d'ailleurs envisagée, prudemment toutefois, Jacques Duquesne dans *le Point* du 18 mai de la même année : « Fanatique manipulé par d'obscurs intermédiaires? » Peut-être. L'Américaine Claire Sterling, qui a étudié le terrorisme turc (son livre *le Réseau de la Terreur* a été publié en France aux éditions J.-C. Lattès), assure que, d'extrême droite ou d'extrême gauche, ces groupes seraient pratiquement tous manipulés par le K.G.B., qui cherche à déstabiliser ce bastion de l'Occident en Orient.

C'est pourquoi on doit se souvenir du mystérieux « cambriolage » d'août 1969 commis dans la bibliothèque du Vatican.

Et de poser la question qui était alors venue à l'esprit de tous : le troisième secret serait-il relatif à un éventuel conflit et révélerait-il le nom de la puissance qui pourrait le déclencher?

Début mai, selon certaines sources vaticanes, une rumeur – au demeurant fort crédible – s'était développée : le K.G.B. avait réussi à infiltrer l'entourage de Jean-Paul II et était parfaitement informé des décisions du pape. Celui-ci s'en étant aperçu cherchait désespérément un moyen pour remédier à cet état de fait.

Quel intérêt pour le K.G.B. de supprimer Jean-Paul II?

Avant de tenter de répondre à cette question, il faut déjà situer l'importance des services spéciaux soviétiques.

Ceux-ci, contrairement à la C.I.A. américaine, et aux autres centrales occidentales, jouissent à la fois de crédits énormes et d'une autonomie absolue.

Le K.G.B. dispose de 450 000 agents affectés à la surveillance des frontières, à la sécurité intérieure et au renseignement ou à l'action à l'étranger.

Son chef, Youri Andropov est à la fois le grand inquisiteur communiste, le gardien de la foi marxiste et le bras séculier du bolchevisme.

Aussi détient-il des pouvoirs démesurés : en U.R.S.S., contrairement à ce qui se passe dans les démocraties occidentales, tout est intégré, le renseignement intérieur et le renseignement extérieur.

Bien mieux, ce pouvoir illimité d'Andropov est reconnu officiel, « consacré » : celui-ci siège au politburo. Il parle même parfois au nom de celui-ci.

Le K.G.B. soviétique s'occupe de la répression intérieure

tout en participant à l'élaboration de la politique expansionniste soviétique.

En quelque sorte Youri Andropov et son K.G.B. constituent pratiquement une sorte d'État dans l'État.

Ce qui peut très bien nous laisser envisager comme possible que le K.G.B. ait fomenté de sa propre initiative un attentat contre Jean-Paul II sans que les dirigeants du Kremlin en aient été avisés d'une quelconque manière.

Or, Andropov et son état-major, gardiens de l'orthodoxie marxiste, ne peuvent être qu'irrités par la crise polonaise et l'image « scandaleuse » que représente à leurs yeux « Solidarité ». Sans doute attendent-ils avec impatience une intervention soviétique en Pologne et une reprise en main comme celle qui s'est produite à Prague ou à Budapest.

Jusqu'à présent, si Moscou a hésité à intervenir militairement en Pologne, c'est uniquement à cause de la relative modération de Lech Walesa qui contient sa base à grand peine.

Or, le leader de « Solidarité » n'a adopté cette attitude que par vénération et obéissance envers son compatriote Karol Wojtila, Jean-Paul II.

Si ce dernier disparaît, plus rien n'arrête Walesa et « Solidarité ». Le Kremlin se trouve contraint d'intervenir militairement en Pologne. Et le K.G.B. a atteint son but...

« Un durcissement du régime soviétique, une poussée du bloc communiste, à l'intérieur et à l'extérieur, engendrant une nouvelle guerre froide » écrivions-nous en substance dans *les Prophéties de saint Malachie.*

N'est-ce pas ce à quoi nous assistons depuis plus de deux ans?

Durcissement à l'intérieur, nous avons pu nous en rendre compte avec l'attitude soviétique vis-à-vis des « dissidents » lors des jeux olympiques de Moscou.

Reprise de la guerre froide, nous y reviendrons.

Quant à « l'intervention armée contre un satellite désireux d'abandonner l'orbite de l'U.R.S.S. », il s'avère maintenant d'une clarté aveuglante, qu'elle pourrait naturellement se produire à la faveur de la crise polonaise.

Car les risques d'intervention militaire soviétique ne sont toujours pas exclus, loin de là. La situation économique du pays, le rationnement alimentaire – impensable en Occident – auquel la population est soumise ne font, bien sûr, qu'aggraver la tension intérieure. « Solidarité » et le pouvoir – qui s'étaient jusqu'alors ménagés mutuellement – ne font que se rejeter l'un l'autre la responsabilité de cette situation.

Dans la première semaine de septembre 1981, une fois de plus, les troupes du pacte de Varsovie se livraient à des manœuvres en mer Baltique. En ces mêmes journées, sur les côtes de cette mer, dans un port devenu universellement célèbre, Gdansk, « Solidarité » tenait son premier congrès.

L'appel que le syndicat libre polonais lança à cette occasion aux travailleurs des autres nations « socialistes » déchaîna la fureur des médias soviétiques – qualifiant « Solidarité » de « ramassis d'espions, de traîtres désireux de rétablir le capitalisme en Pologne » etc... et assurant le « peuple polonais authentique » du soutien de l'Union Soviétique.

Tout cela démontre suffisamment que la Pologne vit toujours sous la menace, et peut-être plus que jamais, d'une intervention militaire de l'U.R.S.S. et de ses « alliés » du pacte de Varsovie.

Quant à l'intervention militaire soviétique extérieure, elle a déjà eu lieu, et en Asie.

Le 24 décembre 1979, trois cent cinquante avions soviétiques acheminent des milliers d'hommes et des tonnes de matériel sur Kaboul, capitale de l'Afghanistan. Un véritable pont aérien est mis sur pied, jusqu'au 26 au soir.

Le 27, l'Armée rouge intervient directement dans ce pays pour la première fois, contre le palais de Daroulamane

– dix kilomètres au sud de Kaboul – véritable bunker du président Amin qui sera massacré avec ses quatre femmes, ses vingt-quatre enfants et tous les hommes de sa garde.

Le 28, le col de Salang, d'abord nettoyé par des parachutistes, est franchi par une division d'infanterie soutenue par des blindés. Elle force l'allure en direction de Kaboul. Une seconde, venant de Kouehka en Turkmenistan, fonce sur Héat à l'Ouest, puis sur Kandakar au Sud.

Le 2 janvier, tankistes kirghizes, fantassins turkmènes, pilotes ouzbeks attaquaient le Paktia.

Le 4 janvier, quarante mille soldats soviétiques opéraient en Afghanistan et l'Armée rouge faisait régner son ordre à Kaboul.

Le processus d'invasion de ce pays par l'U.R.S.S. décidée le mois d'octobre par le Politburo, était enclenché. Par la suite il ne fera que se renforcer, de même que, progressivement la résistance des Moudjahidin – combattants de l'Islam – parviendra à s'organiser.

Et ce conflit très dur, plus ou moins oublié, où les Soviétiques n'hésitent pas à employer des gaz de combat, se poursuit avec acharnement. Présentement, rien ne permet d'envisager une issue pacifique à cette véritable guerre suscitée par les Russes en Asie centrale.

A l'Ouest immédiat de l'Afghanistan, ayant frontière commune avec ce pays, l'Iran.

Là aussi la guerre fait rage, guerre intérieure il est vrai, prenant le visage désormais familier du terrorisme.

Tout avait commencé dans l'euphorie le 1er février 1979, avec l'atterrissage sur une piste de Mehrabad, l'aéroport de Téhéran, d'un Jumbo jet d'Air France ayant à son bord l'ayatollah Khomeyni qui avait réussi à chasser le Chah depuis Neauphle-le-Château.

Après bien des péripéties, prise d'otages à l'Ambassade U.S. révolte kurde, épuration – il conviendrait peut-être mieux d'employer le terme « massacres » – limogeages retentissants – Chapour Bakhtiar et Bani Sadr pour ne citer qu'eux – difficultés économiques, sociales et même religieuses sans nombre, rivalités internes, la « révolution islamique » débouche maintenant sur un véritable chaos.

Et là aussi, il y a impasse.

Car Khomeyni ne cédera jamais. Et cela tient de la nature même du Chiisme. Successeur du Prophète, il lui est en même temps supérieur car incarnation de Dieu et donc infaillible, mais également destiné au martyre.

D'une certaine manière on peut dire qu'il « attend » le poignard : sacrifié à la cause, il rejoindra Muhammad et éclairera le nouvel Islam dont il se veut le phare. Et ceux qui l'accompagneront dans cette aventure immense du martyre auront la récompense suprême tout en redonnant à l'Islam sa pureté originelle qui lui ouvrira la voie de nouvelles conquêtes.

Sa logique, somme toute, est simple : celui qui est dans l'erreur doit mourir, le saint également pour pouvoir ressusciter. Version orientale du fameux « Dieu reconnaîtra les siens! ».

Aussi comprend-on mieux sa souveraine indifférence face à la vague d'attentats déferlant sur le pays à partir de juin 1981 et dont le plus célèbre a coûté la vie, le 30 août, au président de la République Ali Radjaï et à son Premier ministre, Mohamed Javad Bahonar. De même que le sens profond de sa déclaration au cours de laquelle il affirmait sereinement que l'Iran était « la nation la plus stable de la terre. » Qu'importe la mort... Et le pays ne compte-t-il pas un millier d'ayatollahs et près de trente mille religieux?

Il apparaît comme certain que la majorité de ces attentats, dont sont victimes des dignitaires chiites, ne sont ni plus ni moins que des règlements de comptes entre clans religieux opposés, mais tous khomeynistes au demeurant.

Certes, l'Ayatollah peut bien affirmer, devant les dépouilles mortelles des religieux assassinés que « tout ce

150

qui procède de Dieu revient à Dieu », il n'en est pas moins vrai que le pouvoir chiite est en train de s'auto-détruire.

Comme le fit, d'une manière différente mais équivalente, la Révolution française, tout au long des deux Conventions, avec pour effet la mise en place du Directoire, puis le coup d'Etat du 18 fructidor (4 septembre 1797) entraînant les conséquences que l'on connaît.

Car, outre les monarchistes et les quinze mille militaires du mouvement Azadegan dirigé par le général Barkam Aryana et quelques groupuscules – tels l'Organisation patriotique de Chapour Bakhtiar et Iran libre de la princesse Azadeh Chafih, ils sont nombreux ceux qui guettent l'occasion propice pour souffler le pouvoir aux religieux, sous les yeux d'une armée mutilée, désorganisée et discréditée dans l'opinion populaire de par son passé impérial.

Et ceux-là sont puissants, structurés et patients : Qu'Allah rappelle Khomeyni à lui...

Tout d'abord les Moudjahidin du peuple de Massoud Radjavi exilé en France. A la fois islamisants et marxistes, ils sont plus de cent mille et ont leurs hommes chez les Pasdaran (gardiens de la révolution), dans l'armée, l'administration et même parmi le clergé.

Ensuite, les Fedayin du peuple, marxistes-léninistes dont l'existence remonte au régime impérial. Ils encadrent les insurgés kurdes et sont experts en guérilla urbaine.

Enfin le Toudeh, le parti communiste iranien qui soutient officiellement Khomeyni. Situation paradoxale en apparence seulement, car il accroît ainsi son influence et, proche du pouvoir, il sait que le temps travaille pour lui et espère bien saisir la première opportunité.

D'autant plus que les Soviétiques veillent. Peut-être se souviennent-ils des années 1925, puis 1941 où, à deux reprises, ils ont occupé l'Azerbaïdjan iranien? Toujours est-il que, le long de la frontière, ils ont massé quatre divisions : Téhéran n'est qu'à deux cent cinquante kilomètres et le Toudeh est un parti communiste « orthodoxe », c'est-à-dire inconditionnel du Kremlin, même si, d'un seul coup il paraît s'être souvenu d'Allah...

Et parmi les cent mille agents du K.G.B. opérant dans le monde, agents de l'« extérieur », qui peut dire combien d'entre eux opèrent actuellement en Iran?

Cet Iran en proie à l'anarchie et qui doit néanmoins faire face à un certain conflit extérieur, l'opposant à l'Irak de Saddam Hussein.

Le 17 septembre 1980, les Irakiens passent à l'offensive, au Khouzistan iranien. Leur aviation bombarde Abadan (qui raffine 90% du pétrole iranien) et Khorramchahr.

Le 23, elle est généralisée. Abadan devient la proie des flammes, les Mig irakiens bombardent Téhéran et Tabriz, et les blindés de Saddam Hussein pénètrent largement en territoire iranien.

D'abord en déroute, l'armée iranienne parvient à se ressaisir. Son aviation bombarde Bagdad, puis Bassorah, Mossoul, Umm Qasr. Pour la première fois dans l'histoire une guerre se déroule au beau milieu des sacro-saints champs pétrolifères. Sur terre, à la fin du mois la zone des combats s'étendait sur un front de cinq cents kilomètres.

Officiellement, le conflit avait pour objet la possession, toujours contestée entre Irakiens et Iraniens, du Chatt El-Arab – confluent du Tigre et de l'Euphrate – et des trois îlots du détroit d'Ormuz, Petite-Tombe, Grande-Tombe et Abou Moussa.

En 1975, à Alger, les Irakiens avaient dû céder aux exigences iraniennes : le Chah gardait les trois îlots – en fait propriété des Emirats Arabes Unis – et étendait sa souveraineté sur la moitié du Chatt el-Arab. En échange, il cessait son soutien aux Kurdes irakiens de Barzani en révolte ouverte contre Bagdad.

Ce sont ces accords d'Alger que le gouvernement de Bagdad déclarera « nuls et non avenus » le 17 septembre 1981.

Certes Irakiens et Iraniens ont toujours prétendu au rôle de « gendarmes du Golfe ». Certes il existe une rivalité séculaire entre Arabes et Perses.

Il est vraisemblable aussi que Saddam Hussein vise à occuper dans le monde arabe la place qui fut celle de Nasser et qu'une victoire éclair sur Khomeyni lui aurait assuré un prestige immense au sein de toutes les nations arabes.

Cependant, cette guerre, oubliée mais toujours présente, sert surtout et avant tout les intérêts du Kremlin.

Dans un premier temps, elle lui permet de jouer un rôle de médiateur – les U.S.A. n'entretenant de relations diplomatiques ni avec Bagdad ni avec Téhéran bien sûr – et de recouvrer un regain de prestige dans le monde arabe. Et, en échange de la « neutralité bienveillante » de l' U.R.S.S., Téhéran cessera de condamner l'agression soviétique en Afghanistan.

Mieux, l'incertitude dans cette région du monde, la paralysie du Golfe Persique, mettraient l'économie occidentale, et essentiellement européenne à genoux. L'enjeu économique, c'est le détroit d'Ormuz [38]. D'où la panique des Occidentaux, lors des premiers jours du conflit, alors que des accrochages se produisaient dans le Golfe, entre vedettes irakiennes et iraniennes.

Et, enfin, à long terme, nous nous en rendons compte maintenant, le conflit ne pouvait que saper le régime de Khomeyni et, par contrecoup, renforcer l'opposition de gauche et le Toudeh.

Le Kremlin n'aurait-il pas assuré Bagdad de sa « neutralité bienveillante » bien avant le 17 septembre 1980?

Dans cette région du monde, véritable poudrière, outre l'éternelle rivalité israélo-arabe, une nouvelle fois relancée par les bombardements israéliens de Beyrouth et de la centrale nucléaire irakienne de Tamuz, des facteurs supplémentaires de tension apparaissent.

Le principal réside dans la convergence du nationalisme

palestinien, de l'intégrisme chiite et de la colère sourde du prolétariat se développant sur la frange des richesses pétrolières.

Or, ce prolétariat, dans sa majorité est chiite. Il risque fort, un jour ou l'autre, de se placer dans l'orbite des mouvements de résistance palestiniens qui constituent les plus sûrs alliés de Khomeyni. Dans un processus dirigé, soit contre Israël, soit contre les Etats arabes du Golfe, riches mais fragiles et sunnites de surcroît...

Il faut encore considérer la Turquie. L'anarchie et la faillite économique du pays semblent avoir été freinés par le coup d'Etat militaire de juillet 1980, approuvé par l'opinion d'ailleurs.

Le Kremlin accusa bien haut les U.S.A. et la C.I.A. d'avoir fomenté celui-ci, soulignant qu'à la même date la vi^e flotte américaine se livrait à des manœuvres en Méditerranée Orientale.

Quoi qu'il en soit, si le processus de déstabilisation du pays paraît enrayé, son équilibre n'en demeure pas moins précaire.

Quant au Pakistan de Zia el-Haq, il poursuit toujours son effort nucléaire. Et peut-être conviendrait-il de ne pas oublier les propos tenus jadis par le général Zia el Haq : « Si, un jour, nous sommes contraints de nous engager dans la voie de la bombe militaire, nous n'hésiterons pas. »

Le Pakistan, par le biais de l'Afghanistan, se trouve désormais en contact direct avec l'Armée rouge.

Le 13 septembre 1981, le général Haig, Secrétaire d'Etat américain, se trouve à Berlin. Le but de son voyage? Convaincre les Européens de se réarmer face à l'Union soviétique.

Ce n'était pas la première fois qu'une haute personnalité américaine se rendait dans l'ancienne capitale du Reich. Le président Kennedy y était venu en pleine guerre froide y prononcer en allemand la phrase historique « Je suis un Berlinois! » devant une foule immense débordante d'enthousiasme.

Rien de tel pour l'ancien commandant en chef des forces de l'OTAN. Bien au contraire. Si le général Haig lance des appels solennels et prononce des discours énergiques, il n'aura aucun contact avec la population : un cortège de cinquante mille personnes manifeste contre sa venue même, et son itinéraire sera tenu secret par la police.

Des affrontements et heurts violents suivront la manifestation du cortège, faisant plus de cent blessés. Il faut bien se rendre à l'évidence, une bonne partie de la population allemande ne considère plus les U.S.A. comme le modèle des modèles et refuse sa nouvelle politique stratégique.

Le lendemain, à Bonn, avec le ministre ouest-allemand des Affaires étrangères, le général Haig, réitère les propos qu'il a tenus à Berlin.

Les États-Unis veulent réarmer l'Europe face à la menace soviétique et au surarmement de cette super-puissance. Haig affirme qu'il n'y aura pas de négociation avec Moscou tant que l'équilibre des armements ne sera pas rétabli.

Et il confirme que les fameux missiles Pershing 2 seront bien installés en Europe à la fin de 1983, qu'il n'y aura aucun retard et que le calendrier prévu sera respecté.

Le vent de la guerre froide souffle à nouveau sur l'Europe.

Mais s'il apparaît clairement avec la visite de Haig, il s'est déjà levé le 6 octobre 1979, à Berlin, secteur est. Ce jour-là, Leonid Brejnev lance un avertissement solennel – en fait une menace à peine voilée – aux nations européennes membres de l'OTAN. Celles-ci doivent statuer le 1ᵉʳ décembre sur la modernisation de leur armement nucléaire à moyenne portée. Brejnev proclame bien haut qu'accepter un nouvel armement de type Pershing 2 sera considéré par Moscou comme une manifestation d'hostilité susceptible de remettre la détente en cause.

Et il organise une intensive campagne d'intimidation en Allemagne, en Italie, en Norvège, dans les pays du Bénélux afin de les dissuader d'accepter l'implantation de ces deux cents Pershing 2.

Mais ce faisant, il oublie les quelque quatre cents SS 20 [39] que l'U.R.S.S. braque sur Paris, Londres, Bonn et autres métropoles européennes.

Gromyko, convaincu que les Européens vont céder, fait la tournée des capitales, de Madrid à Bonn.

En vain. La date fatidique arrive et les Européens de l'OTAN acceptent l'installation des Pershing 2.

Car, en Europe, le déséquilibre des forces entre OTAN et pacte de Varsovie est écrasant en faveur des Soviétiques et de leurs alliés.

On estime le rapport de forces classiques aéro-terrestres en Europe de 2,5 contre 1 à l'avantage des Soviétiques.

Et, en matière nucléaire, l'Europe occidentale ne dispose que de Pershing type 4 et 5, parfaitement dépassés.

156

Sur le plan mondial, les États-Unis conservent une certaine supériorité dans le domaine des têtes multiples. Mais dans tous les autres, les Soviétiques ont l'avantage...

Bref, alors que le bloc de l'Est, à la faveur de la détente, a continué à stocker et à produire une quantité d'armes incroyables, l'Occident, lui, peu à peu s'est laissé distancer et se trouve maintenant en situation d'infériorité [40]...

De plus, dans certains pays européens – parmi lesquels, paradoxalement la France qui ne fait pas partie de l'organisation militaire de l'OTAN, ne figure pas – la tentation neutraliste se fait parfois sentir.

Avec l'invasion de l'Afghanistan par les Soviétiques, l'appréhension de la guerre, jusqu'alors vague angoisse informulée va devenir, dans le champ des consciences une probabilité politique.

Peut-être cette prise de conscience est-elle d'ailleurs salutaire si l'on veut encore tenter de sauvegarder la paix.

Celle-ci, en fait, s'est opérée en trois temps. Le premier a justement été cette pression soviétique sur l'Europe, le second la prise d'otages des diplomates U.S. de Téhéran et, couronnant le tout, le « coup de Kaboul ».

Début 1980 des millions d'Occidentaux s'apercevaient enfin que la soi-disant « détente » n'était qu'un leurre et que l'U.R.S.S., si elle acceptait les échanges commerciaux et autres échanges avec les démocraties occidentales, n'avait nullement renoncé à la lutte idéologique, politique, voire à l'affrontement militaire.

Déjà, le 15 novembre 1979, 63 % des Français estimaient possible une guerre mondiale. Six ans plus tôt, en plein conflit israélo-arabe, ils n'étaient que 17 %.

De juin à novembre 1979, le pourcentage des Français envisageant l'éclatement d'une troisième guerre mondiale avait progressé de 22 %!

Cette peur atteint tous les milieux, touche toutes les classes de la société, mais se manifeste principalement chez les jeunes générations, particulièrement celles qui n'ont pas connu le second conflit mondial.

Certes, à la base de celle-ci, on trouve souvent un manque de foi en l'avenir. Les hommes ont le juste sentiment de l'écroulement d'un monde ancien, sapé dans les mœurs et dans les principes constituant l'équilibre de ces sociétés.

Ils ne font plus confiance ni à la science ni au fameux progrès dont on leur a tant parlé.

La crise économique, tant à l'Ouest qu'à l'Est, qui ne devait avoir d'effets que sur quelques années, s'éternise et s'annonce beaucoup plus difficile que prévu. Certains se demandent si elle ne s'est pas définitivement installée dans nos sociétés industrialisées.

Les hommes prennent aussi, et de plus en plus, conscience de ce fameux « tiers-monde » auquel ils ne songeaient guère jusqu'alors, de ces nations entières dont les peuples souffrent de malnutrition, si ce n'est de famine.

Et ils mesurent la quantité de problèmes cruciaux et angoissant auxquels l'humanité doit faire face sans parvenir à trouver de solutions.

Ainsi, sont-ils progressivement amenés à en déduire que les êtres humains, lorsqu'ils ne parviennent pas à surmonter les épreuves qui se présentent à eux, en arrivent à se faire la guerre, phénomène ainsi assimilé à une sorte de fuite en avant.

Ils songent aussi, ou tout du moins ressentent inconsciemment, qu'une crise quelconque pourrait provoquer l'interruption de livraisons de pétrole, ce qui asphyxierait les nations occidentales, les condamnant à plus ou moins brève échéance à la paralysie. Préféreraient-elles alors agoniser ou déclencher un conflit de la dernière chance pour se ruer sur les champs pétrolifères?

Certaines dates semblent être au rendez-vous de l'Histoire.

Ainsi, le 21 novembre 1979.

Ce même jour, des conjurés s'emparaient – sacrilège des

sacrilèges – de la Grande Mosquée de La Mecque et y faisaient couler le sang, des émeutiers incendiaient l'ambassade américaine d'Islama-Bad et une foule en proie à une hystérie collective déferlait sur Téhéran.

Cette journée semblait marquer la fin d'un monde, dont les hommes atteints d'une sorte de fureur ou de délire piétinaient les principes fondamentaux, tant politiques que religieux, et présager une future anarchie à l'échelle de la planète, une remise en question radicale de *toutes* les valeurs auxquelles les hommes et leurs sociétés étaient jusqu'alors attachés.

Il en fut de même lorsque les autorités iraniennes couvrirent puis cautionnèrent l'occupation de l'ambassade américaine de Téhéran et la séquestration de ses occupants, diplomates pour la plupart, afin de les utiliser comme arguments de chantage. En violant sciemment des locaux diplomatiques, les Iraniens, pour la première fois dans l'histoire contemporaine, utilisaient des pulsions primitives de masse contre une institution policée, jusqu'alors unanimement respectée.

Cela laissait augurer que pour certains Etats, désormais tout serait permis. Les verrous maintenant une certaine « règle de jeu » internationale sautaient. Jusqu'où iraient certains Etats?

Dans le jeu de la guerre et de la paix, ne pourraient-ils pas se comporter de la même façon, sans respecter aucune règle, même la plus élémentaire?

Cela est d'autant plus inquiétant que désormais l'arme atomique n'est plus le seul monopole des deux super-grands et que les potentialités explosives se sont multipliées à travers le monde.

Dans les années qui suivirent la Deuxième Guerre mondiale, les risques de conflit nucléaire se limitaient à un seul affrontement entre les deux grandes puissances. Et le « détonateur », aux yeux des hommes pouvait se situer dans l'espace : Berlin, ou un quelconque point sur cette frontière artificielle séparant d'Allemagne en deux.

Par la suite, le centre de gravité de la guerre se déplaça au Proche-Orient. Mais à travers les conflits et innombrables crises israélo-arabe, l'opinion reconnaissait un affrontement indirect des deux même grands et elle gardait confiance (pour preuve ce sondage de 1973, en plein conflit israélo-arabe qui révélait que 17 % des Français seulement croyaient possible l'éclatement d'un conflit mondial) : elle estimait que tant les U.S.A. que l'U.R.S.S. connaissaient parfaitement les limites à ne pas franchir et savaient les faire respecter à leurs alliés israéliens et arabes.

Mais, depuis quelques années, l'opinion mondiale s'est rendu compte que le déclenchement d'un troisième conflit n'était plus le seul monopole des deux super-grands. Nombre de nations pouvaient mettre en route le processus d'un troisième conflit, entraînant malgré eux U.S.A. et U.R.S.S. à intervenir. Bref, les « détonateurs » se trouvaient disséminés à travers toute la planète.

Deux conflits « locaux », à cet égard, ont fait trembler le monde.

La guerre sino-vietnamienne de février 1979 d'abord [41]. La Chine et le Viet-nam – pratiquement « satellite » de l'U.R.S.S. – s'affrontaient avec une rare violence. Que se passerait-il si le Viet-nam faisait appel à son puissant protecteur? Celui-ci au risque de perdre la face vis-à-vis de ses satellites et des pays difficilement « conquis » ces dernières années, ne pourrait qu'intervenir directement contre la Chine... Et dans ce cas quelle serait l'attitude des U.S.A.?

Même scénario avec le conflit irako-iranien. Les belligérants étaient inattendus... De plus il menaçait le cordon ombilical de l'Occident que constitue le détroit d'Ormuz. Les Occidentaux perçurent nettement l'avenir angoissant qui les attendait si la route du pétrole leur était coupée.

Au point que le timide Jimmy Carter n'hésita pas à affirmer : « Une quelconque atteinte à l'intégrité du golfe Persique serait considérée comme un coup porté aux intérêts vitaux des États-Unis. Le pétrole est une nécessité première pour l'Occident et il est impératif de préserver sa libre circulation. »

Et les deux super-grands se trouvaient face à face dans l'océan Indien : treize navires américains avec six de soutien, dix navires soviétiques avec seize de soutien. Les U.S.A. disposaient en outre de deux bases navales, à Berbera en Somalie et à Diego Garcia, pouvaient disposer de six bases, une au Kenya, une en Somalie, une en Égypte et trois au Sultanat d'Oman, d'une base aérienne à Diego-Garcia. Les Soviets quant à eux comptaient deux bases navales, à Dahlah en Mer rouge et à Socotra au large de la Somalie, de bases aériennes au Yemen du Sud et en Éthiopie. Avec, en outre, l'énorme dispositif de forces aéro-terrestres massées en Afghanistan, juste à l'aplomb du détroit d'Ormuz.

Le pire aurait pu se produire.

Face à ce nouveau péril que constituent des conflits locaux, les deux super-grands ont bâti la fameuse théorie de la « guerre et demi ». Et ils ont constitué des nouvelles forces d'intervention rapides à longue distance. Pour les U.S.A. ce sera le R.D.F. (Rapid Deployment Forces) susceptible d'intervenir en un endroit donné et dans un contexte « austère ».

La mission du R.D.F. serait d'entrer en action rapidement en cas de conflit majeur, en Europe (une guerre) ou dans une région du tiers-monde (demi-guerre).

Commentant ce projet, le ministre américain de la Défense de Jimmy Carter, Harold Brown, déclarait notamment : « En dehors de l'axe Est-Ouest, il se développe des crises nouvelles de conflit potentiel. Les États-Unis doivent pouvoir intervenir dans un conflit majeur, notamment en Europe. Ils doivent aussi pouvoir intervenir dans un conflit limité à une région du tiers-monde. »

Les « Amants de la guerre » se font de plus en plus nombreux.

Et, à travers les événements d'Iran, nombre de commentateurs, et une partie de l'opinion publique mondiale ont perçu une menace tout aussi effrayante qu'un troisième conflit « classique » – nucléaire ou non : les prémices d'une grande révolte des peuples pauvres.

Mais le risque majeur d'un troisième conflit mondial demeure toujours néanmoins celui d'une agression soviétique.

L'U.R.S.S. ne cesse d'accroître son potentiel militaire et consacre chaque année 30 à 35 % de son budget à sa « défense ».

Cinq facteurs pourraient amener le Kremlin à prendre la responsabilité d'une troisième guerre mondiale :

– La tentation de profiter de son avantage stratégique actuel avant que d'être rejoint sur ce terrain par les Occidentaux mobilisés par la « dynamique Reagan ».

– Le souci d'échapper ainsi à ses propres difficultés internes, économiques mais aussi idéologiques et ethniques.

– La nécessité d'utiliser son formidable potentiel militaire accumulé sous peine de le voir se périmer (et pour les Russes qui ont sacrifié leur essor économique et la croissance du niveau de vie de leurs nationaux au profit de ces armements, on imagine ce que cela représente).

– La montée irréversible de la puissance chinoise, tant sur le plan économique que militaire.

– Enfin, l'hégémonisme qui reste le fond de leur doctrine et rejoint en cela les constantes de la Russie impériale.

Le caractère « impérialiste » du régime soviétique, s'est naturellement révélé à la face du monde avec l'invasion de l'Afghanistan.

Et si cet acte eut pour effet une prise de conscience quasi mondiale de la nature réelle du régime dirigé par Moscou, il permit aussi, parallèlement, de mesurer la faiblesse et l'indécision de l'Occident, et particulièrement des États-Unis : les mesures prises par le président Carter en représailles contre l'U.R.S.S. parurent bien timorées – et de plus, inefficaces – par rapport à la gravité des événements.

Car, pour la première fois, l'Armée rouge intervenait à visage découvert en dehors de la « zone d'influence » du Kremlin.

Et d'aucuns, la détente volant en éclat, de se livrer à une rétrospective.

Au départ, les trop célèbres accords de Yalta. On considère généralement que ceux-ci livraient purement et simplement les pays d'Europoe de l'Est et Centrale à l'U.R.S.S. En fait, ils se limitaient à délimiter les zones respectives de *libération militaire* des deux Grands. La nuance peut paraître faible, voire hypocrite, mais elle existe.

Par force ou par artifice, Staline réussira à « soviétiser » les nations orientales et centrales de l'Europe bâtissant ainsi un véritable « Empire soviétique ». Les démocraties occidentales ne voyaient rien ou ne voulaient rien voir. Le « coup de Kaboul » leur ouvrira définitivement (?) les yeux en un réveil brutal.

Et les successeurs de Staline, bien qu'entonnant bien haut l'hymne de la « destalinisation », ne feront que maintenir l' « Empire », même au prix d'un bain de sang comme cela fut le cas en Hongrie en 1956. La « zone d'influence » en tout cas, était devenue réalité concrète. Brejnev profitera même de la crise tchécoslovaque pour créer le terme de « souveraineté limitée » : à lui seul il annonçait et justifiait à la fois toute nouvelle intervention des Soviets dans un pays de la « zone d'influence ».

Il ne manquait plus, pour parachever l'œuvre, qu'à faire reconnaître, d'une manière ou d'une autre, mais officiellement, l'existence de cet empire soviétique européen : cela se produira en 1975 à Helsinki.

Préserver, consolider, officialiser l'empire européen, éventuellement le compléter avec la Yougoslavie et l'Albanie – pourquoi pas? – était une chose. Il convenait ensuite de travailler le tiers monde décolonisé récemment. Après quelques échecs retentissants, Brejnev remportera deux victoires éclatantes. Par mercenaires cubains interposés, il réussira, mettant à profit le vide laissé par les Portugais en Angola et la révolution éthiopienne, à s'implanter solidement à Luanda et à Addis-Abeba.

Quant au Sud-Yémen, il est pratiquement devenu une sorte de colonie officieuse de l'Union soviétique. Les bases aériennes soviétiques du Sud-Yémen, à l'entrée de la Mer Rouge, jointes à celles d'Afghanistan, tiennent désormais en tenaille le détroit d'Ormuz.

Les maîtres du Kremlin n'ont abandonné ni leurs conceptions révolutionnaires, ni leurs visées expansionnistes.

La première à s'inquiéter de cette mentalité est la Chine.

Car on peut avancer, sans crainte d'erreur, que la principale préoccupation de l'U.R.S.S. est avant tout de régler le différend qui l'oppose à la Chine avant que cette dernière ait atteint une puissance militaire qui deviendrait obsessionnelle pour les Soviétiques.

Jusqu'à ces dernières années, l'armée chinoise comptait surtout par le nombre. Mais depuis, elle comble son retard, modernisant ses forces, tant sur le plan classique que dans le domaine nucléaire.

On estime que, si la Chine parvient à appliquer son calendrier jusqu'en 1986, l'U.R.S.S. ne sera plus jamais en mesure de l'attaquer sans « risques intolérables ».

Et actuellement elle n'aurait rien à craindre de la Russie dans la mesure où l'Occident maintiendra un potentiel militaire inquiétant pour Moscou.

Et la Chine peut encore compter sur son alliance japonaise et – qui sait ? – sur le soutien éventuel des U.S.A.

Mais, depuis l'invasion de l'Afghanistan, l'inquiétude est revenue chez les dirigeants chinois : Ils redoutent d'être complètment tournés sur leur frontière sud par l'U.R.S.S.

C'est déjà, en partie, fait dans toute la péninsule indochinoise, par l'intermédiaire du Viet-Nam, allié zélé des Soviétiques.

Grâce à eux le Laos et le Cambodge gravitent désormais dans l'orbite directe du Kremlin.

Les Russes se sont « occupés » eux-mêmes de l'Afghanistan. Entre ce pays qui n'a qu'une minuscule frontière avec la Chine, et la péninsule indochinoise, le Pakistan qui est menacé, l'Inde favorable à l'U.R.S.S., le Bengladesh, la Birmanie et la Thaïlande.

Tous trois sont bien vulnérables. Et rien n'interdit de penser que le prochain objectif d'Hanoï pourrait être la Thaïlande.

D'où l'inquiétude de Pékin. Après le « coup de Kaboul » il a proposé un système de « défense collective » invitant Japonais et Occidentaux à s'y associer.

Mais ce n'était pas la première fois que les dirigeants chinois mettaient les Occidentaux en garde contre les périls d'une détente unilatérale et, à leurs yeux illusoire. Dès 1973, Chou-En-Laï expliquait aux Européens « que l'affaiblissement ne saurait provoquer que le malheur ».

En visite officielle aux U.S.A. au début de 1979, Teng Siao-Ping déclarait d'emblée : « Le monde est loin d'être tranquille. Il n'y a pas seulement des menaces à la paix, mais les facteurs propices à une guerre augmentent visiblement. » Et dans une interview accordée à *Time Magazine* il souhaite « une alliance occidentale pour contenir l'ours polaire ».

A son tour, Hua Guofeng, dans sa tournée européenne d'octobre-novembre 1979 n'avait cessé de dénoncer l'hégémonisme soviétique devant des interlocuteurs baignant encore dans la douce euphorie de la détente, n'hésitant pas, à Londres, à mettre en parallèle les ambitions soviétiques et celles des nazis de la Seconde Guerre mondiale.

Le 1ᵉʳ janvier 1980, s'adressant au monde entier depuis la basilique Saint-Pierre, le Pape décrivait dans son homélie les effets catastrophiques d'un conflit nucléaire.

Ce même jour, le président Valéry Giscard d'Estaing, s'adressant à la nation dans la traditionnelle allocution de vœux pour le Nouvel An, en profitait pour souhaiter aux Français et aux hommes une paix durable, sur un ton grave et mesuré.

A peine sorti de la clinique Gemelli, Jean-Paul II, dans son homélie du 23 août 1981, place Saint-Pierre à midi, attirait l'attention de l'humanité sur le risque d'une troisième guerre mondiale.

Prospecteurs et commentateurs politiques rejoignent les grandes prophéties et les études astrologiques pour envisager de plus en plus sérieusement la probabilité d'un nouveau conflit.

Depuis 1976, certains prospecteurs militaires anglo-saxons s'accordent à penser qu'il existe 30 % de probabilités pour que dans les dix prochaines années, on utilise des armements atomiques dans un conflit limité excluant les « sanctuaires » russe et américain. Ces mêmes prospecteurs estiment à 50 % de probabilités la possibilité que la planète soit soumise à une guerre atomique totale dans les vingt-cinq années à venir.

L'Institut des Hautes Études Nationales prévoyait dès 1967 une décade 1975-1985 dangereuse pour la paix.

En 1978, la théorie des « échéances contraignantes » désignait les années 1982-1985 comme un passage particulièrement difficile à traverser.

La probabilité d'une guerre prochaine est forte. Il serait vain et puéril de vouloir se le dissimuler. Au contraire, il vaut mieux envisager cet état de fait froidement pour tenter d'y remédier dans la pleine mesure de nos moyens.

Le Vatican pense différemment, et occulte le primordial message de Fàtima de peur de susciter une réaction de panique. Sans doute aussi parce que celui-ci annonce la fin

166

de l'Église sous sa forme actuelle – ce que confirme irréfutablement la prophétie de Saint Malachie – et plus généralement la fin des religions, Islam mis à part.

Sans doute Jean-Paul II, ou son successeur, révélera-t-il le contenu exact du troisième secret de Fàtima une fois le conflit engagé, afin de tenter d'y mettre un terme. Ainsi avait procédé Pie XII lors du second conflit mondial.

Tout cela semble s'inscrire fort bien dans le contexte global du message de Fàtima, y compris l'avènement d'une ère nouvelle et d'un esprit religieux régénéré.

Quant à la puissance « responsable », Notre-Dame semble la désigner clairement : la Russie, l'« Ours Polaire » des Chinois, dont elle réclame sans cesse la « conversion » afin que l'irréparable puisse être évité.

Car, il convient de le souligner encore et encore, le message de Fàtima est *conditionnel*... Avec la prière et la pénitence tout peut être évité. Or, qu'est-ce que la prière, sinon un acte de foi et d'*espérance?* Et qu'est-ce que la pénitence, sinon une *prise de conscience* de ses fautes et de ses erreurs, le regret de celles-ci et la volonté de les *réparer*...

Ajoutons encore qu'un troisième conflit – même nucléaire et mondial – ne signifie pas pour autant la fin de l'humanité, loin de là. Quant à parler de « fin du monde », c'est une aberration totale, ni plus ni moins.

Souvenons-nous seulement des paroles de Lucia : « Un grand renouvellement est nécessaire... »

Jean-Paul II, s'il n'a jamais rendu public le contenu du texte en sa possession, tout comme Paul VI, ne se lasse pas pourtant, ainsi que l'avait fait également Paul VI, de nous en livrer l'essentiel dans ses incessants appels à la prière, dans ses mises en garde contre les méfaits de la guerre, dans son infatigable volonté de rassembler les hommes, tous les hommes, de mobiliser les masses autour d'un seul mot d'ordre : « Paix ».

Pour les experts en polémologie, l'époque des années

1980 sécrète des éléments favorables à l'éclosion d'une « atmosphère préparatoire au bellicisme ».

Chacun sait que la société, ou n'importe quelle forme de collectivité, est la somme de tous les êtres qui la composent.

Ainsi, par voie de conséquence, tout mouvement collectif est la résultante de mouvements individuels. Or, sur tous les plans, à tous les niveaux, que constatons-nous actuellement, sinon une montée permanente de la tentation de la violence? Et ce, avant tout au plus profond de l'individu lui-même. L'homme, dans la majorité des situations où il se trouve placé, face aux divers problèmes qu'il doit aborder, confronté aux multiples épreuves jalonnant son existence, a presque toujours recours à la violence. Une simple gifle est un acte de guerre. Et la violence peut se traduire par la seule pensée, sa forme la plus grave peut-être. Et la violence ne peut qu'engendrer la violence.

Cette attitude affecte l'ensemble du comportement humain, dans le déroulement de la vie quotidienne, tout comme dans les contextes exceptionnels.

Nos sociétés ne peuvent donc qu'être des sociétés où règne l'agressivité.

Il y a donc nécessité d'une prise de conscience au plan individuel, d'une prise de responsabilité de chacun de nous.

Car le destin collectif n'est que le reflet de ce qui se passe à l'intérieur de tous les hommes, ce qui nous habite ayant comme conséquences des événements extérieurs.

Autrement dit, le phénomène « guerre » n'est que la traduction et l'application extérieure des sentiments de violence et d'agressivité intérieurs aux humains.

Plus il y aura d'hommes ayant pris conscience de ce processus d'une simplicité extrême, capables d'extirper de leur cœur la haine, la violence et l'agressivité, plus la probabilité de guerre extérieure baissera d'intensité, plus la guerre s'éloignera.

Il s'agit là d'une prise de responsabilité et d'un problème

de choix. Les hommes sont les propres artisans de leur destin collectif.

L'acceptation par le plus grand nombre d'un futur conflit engendrera automatiquement la concrétisation de celui-ci.

Le refus de la guerre par la majorité des individus fera se désintégrer ce spectre : la « guerre » en tant que phénomène extérieur ne pourra se matérialiser.

Prier pour la paix, n'est-ce pas refuser la guerre? Encore faut-il que cette prière ne soit pas motivée par la peur, mais par une introspection soucieuse d'effacer le bellicisme intérieur...

Actuellement, la collectivité humaine a accumulé un potentiel d'agressivité pour ainsi dire maximum. Si rien de réellement grave ne se produit encore, c'est qu'il n'y a pas d'adversaire désigné comme échappatoire à cette agressivité ou qu'il y en a trop, ce qui revient au même...

Il importe donc, tant qu'il en est encore temps, que décroisse ce potentiel agressif collectif. Et cela est l'affaire de chacun. Tout être humain, sans exception, se trouve concerné, invité à ce qui pourrait bien être le début de la grande aventure du XXIᵉ siècle.

Tel est sans doute le sens profond du message de Fàtima, de Notre-Dame.

ANNEXES

I

NEUES EUROPA

Neues Europa du 1ᵉʳ novembre 1963
1960-1966, 6 ans de retard!!!

« Dans la dernière édition de *Neues Europa* nous avons précisé formellement que le texte que nous y avons publié du 3ᵉ Message de Fàtima ne constituait que l'extrait qui en est connu dans les milieux diplomatiques. La partie la plus importante, la quintessence des révélations de la Mère de Dieu y manquait. Il s'agit en l'occurrence des paroles de la Sainte Vierge prédisant des événements qui auront lieu à Rome et ce qui adviendra du Vatican et de la Papauté à l'aube du jour « J » lorsque l'humanité se verra livrée au châtiment divin. Le passage qui y est relatif et qui forme la base et la conclusion de la troisième prédiction de Fàtima, en a été intégralement détaché et restera jusqu'à nouvel ordre secret d'État du Vatican.

« On sait cependant ce qui est dit dans le passage en question. Il se rapporte à l'avenir du Saint-Siège et de toutes les institutions qui lui sont rattachées. Tous les milieux du Vatican qui ont été sollicités de révéler également le texte authentique dudit passage ont refusé catégoriquement de se prononcer d'une quelconque manière à ce sujet.

« Cette attitude intransigeante de la diplomatie vaticane est la suite d'instructions formelles émanant du Pape Paul VI qui a décidé que ni le libellé du troisième message de Fàtima ni sa partie capitale ne seraient rendus accessibles pour l'instant à la connaissance publique. Un tel interdit papal n'a fait qu'accroître dans une proportion très considérable l'intérêt que l'on a attribué jusqu'à présent à l'affaire FÀTIMA.

« A quelle époque, le Pape jugera-t-il opportun de lever cette interdiction? Nul ne le sait.

« Théoriquement, cette restriction peut cesser demain, mais elle pourrait aussi bien demeurer en vigueur pendant un temps plus ou moins long. La situation politique au plan mondial en décidera suivant son évolution favorable ou défavorable. Mais il est d'ores et déjà certain que le 3ᵉ message de Fàtima sera communiqué *in extenso* et sans omission au monde entier lorsque les besoins et la gravité de l'heure l'exigeront. »

Docteur Angelo S., Rome.

Voici des extraits de ce document :

« Ce fut au 13 octobre qu'apparut la Sainte Vierge... Elle dit à Lucie :

« Et maintenant, proclame en mon nom :

« Un grand châtiment touchera le genre humain entier, pas encore aujourd'hui, ni demain, mais dans la deuxième moitié du vingtième siècle. Ce que j'ai déjà révélé à La Salette par les enfants Mélanie et Maximin, je le répète aujourd'hui devant toi.

« Le genre humain a péché et foule aux pieds le don qui lui a été fait.

L'ordre ne règne nulle part. Satan règne même sur les plus hauts postes et détermine la marche des choses. Il réussira à s'introduire effectivement jusqu'au sommet le plus élevé de l'Église. Il réussira à séduire les esprits de grands savants, qui inventent des armes avec lesquelles on peut détruire la moitié de l'humanité en quelques minutes... Si les grands de la terre et de l'Église ne devaient pas l'empêcher, Moi je m'en chargerai et JE DEMANDERAI À DIEU, mon Père, de LAISSER VENIR LE GRAND CHÂTIMENT SUR LES HOMMES.

« Et vois alors, Dieu châtiera les hommes plus sévèrement qu'Il ne le fit par le Déluge. Les Grands et les puissants y périront tout comme les petits et les faibles.

« MAIS AUSSI POUR L'ÉGLISE IL VIENDRA UN TEMPS DES PLUS GRAVES ÉPREUVES. DES CARDINAUX S'OPPOSERONT CONTRE DES CARDINAUX, ET DES ÉVÊQUES CONTRE DES ÉVÊQUES. SATAN MARCHERA AU MILIEU DE LEURS RANGS. DANS ROME, IL Y AURA DE GRANDS CHANGEMENTS. CE QUI EST POURRI TOMBERA, ET CE QUI TOMBE NE SE RELÈ-

VERA PLUS. L'ÉGLISE EST OBSCURCIE ET LE MONDE TOURNERA EN FRAYEUR.

« LA GRANDE, GRANDE GUERRE TOMBERA DANS LA DEUXIÈME MOITIÉ DU VINGTIÈME SIÈCLE ».

« Du feu et de la fumée tomberont alors du ciel et les eaux des Océans seront vaporisées, alors que l'écume éclatera vers le ciel, et tout ce qui est debout s'effondrera. DES MILLIONS ET ENCORE DES MILLIONS D'HOMMES PÉRIRONT d'heure en heure, et ceux qui alors vivront encore, envieront ceux qui ont péri. De quel côté que l'on regarde il y aura angoisse, misère sur toute la terre, et ruines dans tous les pays.

« Vois, le temps approche de plus en plus, l'abîme s'élargit toujours; il n'y a pas de délivrance; les bons périront ensemble avec les mauvais, les grands avec les petits, les princes de l'Église avec leurs fidèles, et ceux qui règnent sur le monde avec leurs peuples; PARTOUT IL Y AURA MORTALITÉ PAR LA FAUTE DES HOMMES INSENSÉS ET LES PARTISANS DE SATAN, QUI ALORS SEUL RÉGNERA SUR LE MONDE.

« CE SERA UN TEMPS QUE NUL ROI OU EMPEREUR, NUL CARDINAL OU ÉVÊQUE ATTENDRA et qui cependant viendra pour punir et venger selon les desseins de mon Père.

« ULTÉRIEUREMENT TOUTEFOIS, quand ceux qui survivront à tout seront encore en vie, ON PROCLAMERA DE NOUVEAU DIEU ET SA GLOIRE; ON SERVIRA DE NOUVEAU DIEU.

« J'APPELLE TOUS LES DISCIPLES SINCÈRES DE MON ÉGLISE DE JÉSUS-CHRIST, TOUS LES VRAIS CHRÉTIENS ET LES APÔTRES DES DERNIERS TEMPS.

« LE TEMPS DES TEMPS VIENDRA ET LA FIN DE TOUTES LES FINS, SI L'HUMANITÉ NE SE CONVERTIT PAS ET SI CETTE CONVERSION NE VIENT PAS D'EN HAUT, DE CEUX QUI DIRIGENT LE MONDE ET L'ÉGLISE.

« Mais malheur, malheur, si cette conversion ne devait pas venir et si tout devait rester comme c'est maintenant ou s'aggraver encore beaucoup. VA MON ENFANT ET PROCLAME-LE.

« A cette fin, Je serai toujours ton aide à ton côté. »

TROISIÈME PARTIE DU SECRET
SELON LE CENTRE MARIAL

« Il s'agit seulement d'un extrait diffusé par sa Sainteté le pape Paul VI et confirmé par Mgr l'évêque de Fàtima, comme étant un « fidèle mais pâle reflet du secret effrayant renfermé au Vatican ».

« C'était le 13 octobre. Ce jour-là, la Sainte Vierge s'est montrée pour la dernière fois aux petits voyants Jacinte, François et Lucie à la fin d'une série de six apparitions en tout. Après la manifestation du miracle solaire, la Mère de Dieu révéla à Lucie un message spécial dans lequel il est dit notamment :

« Ne t'inquiète pas, chère enfant, Je suis la Mère de Dieu qui te parle et qui te prie de proclamer, en mon nom, le message suivant au monde entier. Tu t'attireras, ce faisant, de fortes hostilités. Écoute et retiens bien ce que Je te dis :

« Les hommes doivent devenir meilleurs. Ils doivent implorer la rémission des péchés qu'ils ont commis et qu'ils continuent de commettre. Tu me demandes un signe miraculeux, afin que tous comprennent mes paroles, que, par toi, j'adresse à l'humanité. Ce miracle, tu viens de le voir à l'instant. C'était le grand miracle du soleil! Tous l'ont vu, croyants et incroyants, paysans et citadins, savants et journalistes, laïcs et prêtres. Et maintenant proclame en mon nom :

« SUR TOUTE L'HUMANITÉ VIENDRA UN GRAND CHÂTIMENT, pas aujourd'hui, ni même demain, mais dans la DEUXIÈME MOITIÉ DU VINGTIÈME SIÈCLE. Ce que J'ai fait connaître à la Salette par les enfants Mélanie et Maximin, Je le répète aujourd'hui devant toi. L'humanité n'a pas évolué comme Dieu l'attendait. L'humanité a été sacrilège et elle foule aux pieds les dons qu'elle a reçus.

« L'ordre ne règne plus nulle part, même aux postes les plus élevés, c'est Satan qui gouverne et décide de la marche des affaires. Il saura même s'introduire jusqu'aux plus hauts sommets de l'Église. Il réussira à semer la confusion dans l'esprit des grands savants qui inventent des armes avec lesquelles on peut détruire la moitié de l'humanité en quelques minutes. Il soumettra les puissants des peuples à son emprise et les amènera à fabriquer des armes en masse. Si l'humanité ne s'en défend pas, je serai forcée de laisser tomber le bras de mon fils. Si ceux qui sont à la tête du monde et de l'Église ne s'opposent pas à ces agissements, c'est Moi qui le ferai et Je prierai Mon Père de faire venir Sa Justice sur les hommes.

C'est alors que Dieu punira les hommes plus durement et plus sévèrement qu'Il ne les a punis par le déluge, et les GRANDS ET LES PUISSANTS Y PÉRIRONT tout autant que les petits et les faibles.

« Mais aussi, IL VIENDRA POUR L'ÉGLISE UN TEMPS DES PLUS DURES ÉPREUVES. Des cardinaux seront contre des cardinaux et des évêques contre des évêques. Satan se mettra au milieu de leurs rangs. A Rome aussi il y aura de grands changements. Ce qui est pourri tombe et ce qui tombe ne pourra être maintenu. L'Église sera obscurcie et le monde plongé dans le désarroi.

« LA GRANDE, GRANDE GUERRE SURVIENDRA DANS LA DEUXIÈME MOITIÉ DU VINGTIÈME SIÈCLE. Du feu et de la fumée tomberont alors du ciel et les eaux des océans se transformeront en vapeur, crachant leur écume vers le ciel, et tout ce qui est debout se renversera. Et des MILLIONS ET D'AUTRES MILLIONS D'HOMMES PERDRONT LA VIE D'UNE HEURE A L'AUTRE, et ceux qui vivront encore à ce moment-là envieront ceux qui sont morts. Il y aura tribulation partout où l'on porte le regard et misère sur toute la terre et désolation en tous pays. Le temps se rapproche toujours plus, l'abîme s'approfondit toujours plus et il n'y a plus d'issue, les bons mourront avec les mauvais, les grands avec les petits, les princes de l'Église avec leurs fidèles, les souverains du monde avec leurs peuples; partout règnera la mort élevée à son triomphe par des hommes égarés et par des valets de Satan qui seront alors les seuls souverains sur terre.

« Ce sera un temps qu'aucun roi ni empereur, AUCUN

CARDINAL NI ÉVÊQUE n'attend et il viendra quand même selon le dessein de mon Père pour punir et venger. Plus tard cependant, lorsque ceux qui survivront à tout seront encore en vie, on invoquera de nouveau Dieu et sa magnificence, et l'on servira de nouveau Dieu comme naguère lorsque le monde n'était pas encore aussi corrompu. J'appelle tous les vrais imitateurs de mon Fils Jésus-Christ, tous les vrais chrétiens et les apôtres des derniers temps! Le temps des temps vient et la fin des fins, si l'humanité ne se convertit pas et si cette conversion ne vient pas d'en haut, des dirigeants du monde et des dirigeants de l'Église. Mais malheur si cette conversion ne vient pas et si tout reste tel que c'est, oui, si tout devient pire encore. Va, mon enfant, et proclame-le! Je me tiendrai pour cela toujours à tes côtés en t'aidant. »

III

A PROPOS DE TRE-FONTANE

Aucun endroit peut-être, dans les environs de Rome, ne peut rivaliser avec la verdoyante oasis de silence et de paix de la Trappe des Trois-Fontaines. Aussi il n'y a pas un pèlerin qui, les yeux encore éblouis des splendeurs de la Basilique Ostienne, ne prolonge de deux kilomètres à peine son voyage champêtre, pour atteindre le lieu où Paul, l'athlète messager de la parole du Christ, endura son glorieux martyre. C'est ici, dans l'ombre fraîche des eucalyptus, qui sont une exception dans la flore romaine, c'est ici que s'élèvent les trois églises dont les trappistes sont les gardiens.

Les trois fontaines qui jaillirent subitement à l'endroit où, dans un triple bond, se posa un instant la tête de l'apôtre, tranchée d'un coup d'épée, ont donné leur nom à toute la zone. Les trois monuments, en face du puits des miracles, sont là, devant l'enceinte de marbre, témoins d'une foi annoncée par la parole et scellée par le sang, soutiens précieux de l'Eglise naissante.

La Trappe, qui se glorifie du souvenir de Moines insignes, parmi lesquels le grand Bernard, chantre de Marie, regarde d'un côté une petite colline plantée d'eucalyptus qui firent ici leur première apparition, il y a environ un siècle, quand les trappistes entreprirent la bonification des terrains, infectés par la malaria, qui entourent l'abbaye.

Ce monticule, but des promenades dominicales des Romains, fut exproprié pour créer un plus vaste cadre à l'Exposition internationale qu'on avait eu l'intention d'ouvrir en 1942. On voit, en effet, quelques grands édifices, une large route et un temple monumental déjà achevé et dédié au Prince des apôtres.

C'est dans le parc qui s'avance sur le plan nu et uniforme, comme un « belvédère » créé par le rêve d'un artiste, que devait se manifester un des signes célestes les plus clairs, les plus significatifs de ces dernières années.

La première nouvelle du prodige fut répandue dans la soirée du 31 mai 1947.

Le *Giornale d'Italia* publiait avec nombreux détails, un fait extraordinaire, arrivé précisément sur la petite colline des Trois-Fontaines. Un *fattorino* de l'administration communale des tramways, avec ses trois enfants encore en bas âge, avait vu la Madone dans une grotte, sous le pâle entrelacement des eucalyptus. On avait tenu caché l'événement pendant quelque temps, puis une indiscrétion l'avait révélé et la nouvelle avait été propagée rapidement par la presse internationale.

Le *fattorino* s'appelle Bruno Cornacchiola, et ses trois enfants : Isola qui avait alors 10 ans et demi, Carlo 7 ans et Gian-Franco 4 ans.

Un détail : cet homme militait alors dans la secte protestante des adventistes.

La police ayant appris ce que l'on racontait à propos de cette apparition, inspecta l'endroit et confisqua une affiche suspendue à la muraille et ainsi conçue : « Celui qui fut une créature malheureuse dans le péché, qu'il déverse ses peines aux pieds de la Vierge de la Révélation, qu'il confesse ses péchés et qu'il boive à cette source de miséricorde. Marie est la douce Mère de tous les pêcheurs; voilà ce qu'elle a fait pour moi pécheur. Militant sous le drapeau de Satan, dans la secte protestante adventiste, j'étais ennemi de l'Eglise et de la Sainte Vierge. Etant ici, le 12 avril 1947, avec mes trois enfants, la Vierge de la Révélation m'est apparue, me disant de rentrer dans l'Eglise catholique, dont Elle-même m'a dicté les lois. La miséricorde infinie a conquis cet ennemi qui maintenant implore à ses pieds pardon et pitié! Aimez l'Eglise et ses enfants, elle est le manteau qui nous abrite, alors que l'enfer se déchaîne sur le monde. Priez beaucoup et fuyez le vice de la chair. Priez! »

Bruno Cornacchiola.

Jeune adventiste.

Au commissariat de Saint-Paul, la famille Cornacchiola au complet fut soumise à de longs interrogatoires. Chacun fut examiné séparément pour constater la vérité du fait. Toutes les réponses furent précises, identiques, claires et nettes, parfaitement concordantes. Tous avaient vu la Madone mais un seul à la fois – et puis tous ensemble restèrent devant la vision – et c'est là une singularité du prodige. Gianfranco fut le premier à voir la Sainte Vierge. Isola, après lui, puis Carlo le père, qui fut le dernier à voir la Sainte Vierge. L'âme de ce converti était déjà préparée aux faciles accusations d'illuminé et de visionnaire qu'il eût à subir; il restait calme et joyeux parce que la Vierge le lui avait prédit : « Quand tu raconteras ce que tu vois, on ne te croira pas, mais ne te trouble pas. »

Voici l'histoire de cet homme qui, du mois de décembre 1936 au mois de juillet 1939, avait vaillamment combattu en Espagne parmi les volontaires du Génie et mérité la médaille militaire et le diplôme du ministre de la Guerre : José Varela.

Bruno Cornacchiola avait reçu une éducation incomplète et assez étrange. Il crut même, a un certain moment, être appelé à la vocation religieuse dans un Ordre très austère. A cette époque, il fréquentait l'Église et avait même fait les neufs « Premiers Vendredis » du Sacré-Cœur.

Mais dans la suite, de mauvaises fréquentations et la doctrine protestante l'avaient éloigné du droit chemin. A son retour d'Espagne, il accepta d'entrer dans la secte baptiste, puis passa à celle des adventistes. Il fut désigné comme instructeur de la jeunesse à Rome et dans la province romaine. Ces fonctions révéleront bientôt en lui un démolisseur acharné du catholicisme. Il fit une furieuse propagande, surtout parmi les employés de tramways dont un bon nombre le suivirent dans l'apostasie. Sa haine se déchaîna surtout contre l'Église de Rome, contre le pape et contre la virginité de la Très Sainte Vierge. Nous avons vu un petit poignard sur le manche duquel Bruno avait gravé « Mort au Pape ». Et sur la première page d'une Bible protestante nous avons pu lire une déclaration solennelle contre l'Église... « La grande Babylone » dont on prophétise la fin.

**

Le céleste colloque.

Ce jour-là, 12 avril, était un samedi – jour de la Sainte Vierge. Bruno voulait conduire ses enfants à Ostie, au bord de la mer, mais à peine venait-il d'arriver à la gare, que le train se mit en mouvement; au lieu d'en attendre un autre, il décida de faire passer une joyeuse après-midi à ses petits enfants dans le bois des Trois-Fontaines qu'il connaissait depuis sa première jeunesse, lorsque, pour fuir la sévérité des châtiments paternels, il passait parfois la nuit dans une grotte creusée dans le tuf de la colline. Ils arrivèrent là vers 14 h 30. L'endroit était désert. Pour jouir d'une plus ample liberté, ils enlevèrent leurs blouses et leurs chaussures, choisissant une esplanade qui s'ouvrait entre les broussailles, tout à fait en face de la grotte. Le soleil ne filtre pas à travers les eucalyptus : on peut même se reposer tranquillement.

Mais Bruno ne veut pas se reposer. Tandis que ses enfants jouent avec une petite balle de caoutchouc lui, assis sur un bloc de pierre, s'empresse de couvrir de notes un petit cahier. Le lendemain, dimanche, il doit parler de Marie aux jeunes adventistes. Déjà, hélas! il a arraché du front de la Vierge tous les divins attributs qui forment son céleste diadème préparé pour Elle, avant l'aube des siècles! Demain, des lèvres de Bruno, sortira l'horrible blasphème qui doit la mettre, Elle! la Toute-Belle, au niveau des autres femmes qui portent la tache originelle, héritage du paradis perdu!... Avec quelle volupté, à l'ombre des eucalyptus, il exerce sa dialectique venimeuse à attaquer, à dénigrer, à jeter de la boue contre la lumière du soleil sans tache!... Mais la Mère veillait tandis qu'allait sonner l'heure de Dieu!

Carlo et Isola ont perdu leur balle : dans un bond plus haut, elle a disparu le long de la pente descendante vers la voie Laurentina qui sépare la colline des eucalyptus de la Trappe des Trois-Fontaines, Bruno veut aider ses enfants dans leurs recherches; il interrompt son travail et s'éloigne non sans avoir auparavant installé en sécurité le petit Gianfranco, auprès d'un gros massif, et lui avoir donné un petit journal pour qu'il ne bouge pas. Après quelques minutes, Isola, fatiguée de fouiller dans le terrain, monte sur un plan plus élevé pour cueillir des marguerites et Bruno aussi revient sur ses pas. Il cherche Gianfranco, et il ne le trouve plus là où il l'avait laissé, mait il l'aperçoit plus loin, à la limite de la grotte, agenouillé, ses petites mains jointes, tout souriant et répétant en regardant en haut : « Belle-Dame!... Belle Dame... »

Le père regarde et ne voit rien. Il secoue l'enfant, qui, comme s'il ne voyait et n'entendait rien, continue à s'extasier devant une vision réservée à lui seul.

Quel est ce mystère?... Le père appelle Isola; la fillette, qui était occupée à former un petit bouquet de fleurs au-dessus de la grotte, accourt aussitôt. Le père lui demande : « Mais que dis donc Gianfranco?... Vois-tu quelque chose? » — « Rien, papa » répond-elle... Mais voilà que tout en parlant ainsi, la petite joint ses mains, d'où s'échappent les petites fleurs, leurs tiges réunies avec un morceau de papier d'argent – enveloppe d'une tablette de chocolat – et, tombant à genoux s'exclame : « Belle Dame!... Belle Dame!... » Bruno ne comprend plus rien; il voudrait se fâcher, il voudrait savoir, il voudrait au moins voir ce que voient les deux enfants. Maintenant Carlo est près de son père qui semble lui avoir transmis ses pires instincts. Pauvre enfant inconsciemment rebelle!...

« Dis donc, Carlo, ne te mets-tu pas à genoux toi aussi? » — « Moi? bah... » répond le garçon. Mais au même instant il est attiré, ébloui lui aussi par la vision mystérieuse, et le voilà agenouillé : « Belle Dame!... Belle Dame!... » Bruno, hors de lui-même observe, contemple ses enfants qui lui apparaissent transfigurés, blancs comme des lys; alors il croit à un sortilège, il croit que la grotte est infestée par les esprits mauvais. Il se met à crier : « Seigneur, sauve-nous! » A peine a-t-il prononcé cette invocation, que ses yeux s'ouvrent, comme si quelqu'un par derrière lui eût arraché un bandeau et l'eût poussé vers la grotte, à côté de ses enfants. C'est ainsi qu'il entre lui-même dans la lumière.

Devant les quatre voyants, dans une clarté éblouissante faisant disparaître tous les contours de la grotte, une dame majestueuse au visage doux et triste, se tient là. Elle a sur sa tête un voile vert, couleur de l'espérance, duquel sortent ses cheveux bruns, et qui descend tout le long de sa personne; sa robe, d'un blanc inconnu à la terre, est serrée par une ceinture rose; ses pieds reposent sur un bloc de tuf. La dame serre sur son cœur un livre de couleur cendrée, et de l'autre main elle montre une soutane noire, près de laquelle est une croix brisée. Ici commence le céleste colloque. La dame se présente à Bruno par ces paroles admirables :

« Je suis celle qui suis dans la Trinité divine. Je suis la Vierge de la révélation. Tu me poursuis; mais maintenant c'est assez! Entre dans le saint bercail, la cour céleste sur la terre. Les « neuf vendredis » que tu fis, avant d'entrer dans la voie du mensonge, t'ont sauvé... »Bruno voudrait parler, mais sa voix s'est éteinte dans sa gorge, il est immobilisé, et doit écouter seulement... et pendant environ une heure et demie, la Madone parle. Elle veut que l'on prie pour le salut des pécheurs; Elle insiste pour que l'on récite le Saint Rosaire pour la conversion des incroyants et pour l'unité des chrétiens.

Elle confie ensuite à Bruno une grande promesse, d'où jaillira la santé pour tant et tant de malheureux.

– « Avec cette terre de péché j'opérerai des miracles éclatants pour la conversion des incroyants... »

Les leçons exposées par la Vierge à l'apostat, son ancien ennemi devenu son privilégié, furent nombreuses, ainsi que ses enseignements sur l'efficacité de la prière qui est « semblable à une flèche sortant de la bouche du fidèle et arrivant au cœur de Dieu ». Puis elle recommande à Bruno d'être « prudent » et de se préparer aux luttes et aux dures adversités qui doivent lui arriver... En lui donnant de nombreux conseils pour qu'il rentre dans l'Église catholique, la Madone lui dit : « Pour te donner une assurance que cette vision est vraie et non pas satanique comme on voudrait te le faire croire, je te donne ce signe : tu devras aller dans les églises, dans les rues; au premier prêtre que tu rencontreras, tu diras : « Mon père je dois vous parler. » Quand celui-ci te répondra : « Ave Maria! que veux-tu mon fils? », tu diras ce qui te viendra sur les lèvres. Ce premier prêtre t'en indiquera un autre : c'est celui-là qui te préparera à faire ton abjuration. »

Extrait de *Digeste Marial*
de février 1957
816 est, rue Ontario – Montréal 24
Canada.

186

ÉPHÉMÉRIDES GRAPHIQUES DES PLANÈTES LENTES
METTANT EN ÉVIDENCE
LES PÉRIODES DE TROUBLES ET DE CONFLITS
(positions géocentriques)
de 1850 à 1894

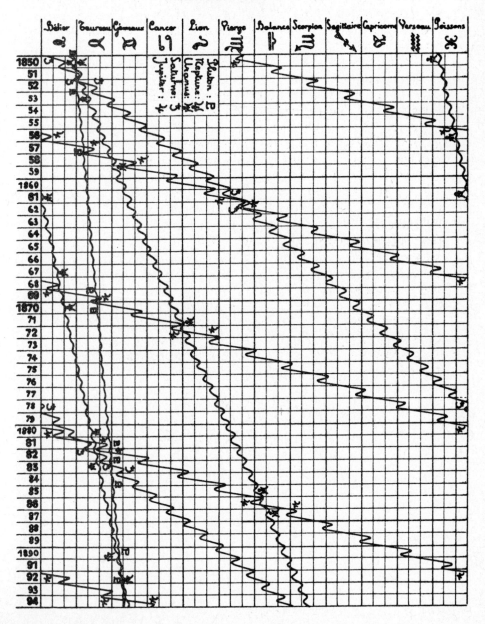

ÉPHÉMÉRIDES GRAPHIQUES DES PLANETES LENTES
(positions géocentriques)
de 1895 à 1939

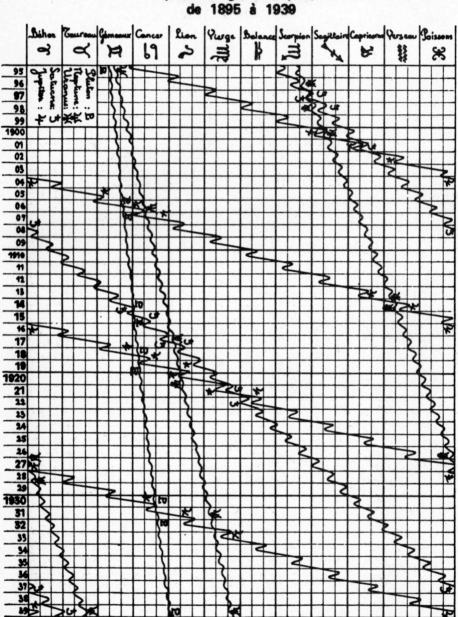

ÉPHÉMÉRIDES GRAPHIQUES DES PLANETES LENTES
(positions géocentriques)
de 1938 à 1969

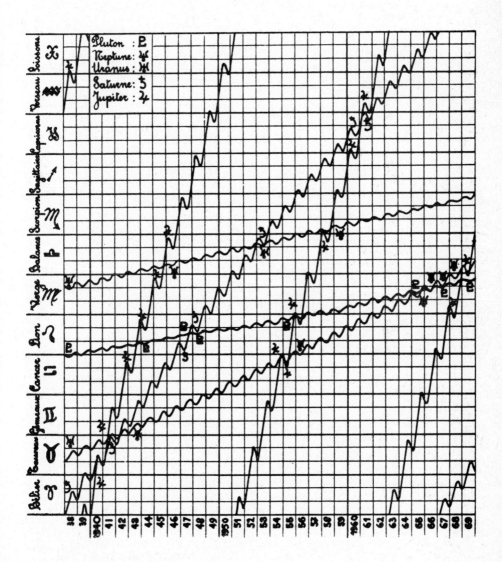

ÉPHÉMÉRIDES GRAPHIQUES DES PLANETES LENTES
(positions géocentriques)
de 1970 à 2001

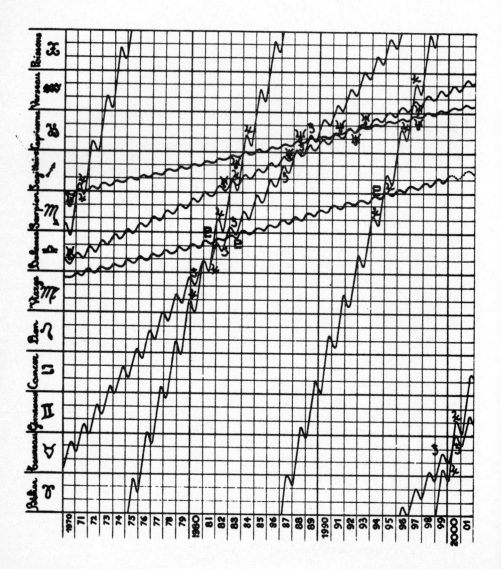

190

NOTES

1. En français « Trois Fontaines ».

2. *Le Collège invisible*, Albin Michel, coll. « Les Chemins de l'Impossible », Paris, 1975.

3. On se souvient que Lawrence James Downey entendait gagner Téhéran, après avoir réclamé la divulgation du troisième secret de Fàtima, dans cet Iran en pleine révolution islamique et première puissance chiite du monde musulman.

4. Ceux-ci évacueront définitivement le Portugal après la bataille de Faro (1249) qui leur fera perdre l'Algarve, la dernière province qu'ils y possédaient encore.

5. Dans tout l'Islam la « main de Fàtima » – improprement appelée « main de Fatma » – est universellement reconnue comme le signe de protection par excellence.

6. Cette légende à clefs – peut-être d'ailleurs parallèlement tout à fait fondée historiquement, peu importe – nous rappelle une fois de plus, par le biais du mariage de Fàtima-Ouréana avec Gonzalo Herminguès, l'impérative nécessité de la fameuse jonction Chrétienté-Islam chère aux templiers.

7. Francisco décéda effectivement le 4 avril 1919, Jacinta subit le même sort le 20 février 1920.

8. *Fàtima Merveille inouïe* par le chanoine C. Barthas et le père da Fonseca, S.J., Nouvelle Société Anonyme du Pas-de-Calais, Arras (1942) et : *Fàtima*, Éditions Toulouse (1942).

9. « Valinhos », ce qui signifie en français « Les Vallons ». Ce lieu-dit se situe à mi-chemin entre Ajustrel et le mamelon verdoyant du « Cabeço »... là même où se produisirent deux des trois apparitions de l' « Ange ».

10. *Idem* note 8.

11. Le « dialogue » entre la « Dame » et Lucia, ainsi que d'autres informations relatives aux apparitions sont essentiellement empruntés à l'ouvrage référencé (8) ainsi qu'à un document ronéotypé intitulé *Textes*

des principales apparitions de la Très Sainte Vierge édité par un
« Centre Marial », 3, bd Delessert, Paris XVIᵉ.

12. Gérard Cordonnier : *In sole posuit Tabernacula Sua,* Regard
scientifique sur le miracle solaire de Fàtima, in *Atlantis* n° 243,
octobre-décembre 1967.

13. Rapporté par le colonel Rémy dans son ouvrage *Fàtima,* éd. Plon,
Paris.

14. *Mons Vaticiana :* Mont des Initiés-Devins d'après Jean Sendy
(elf. *Les Cahiers de cours de Moïse*).

15. Selon certaines sources, Pie XII conservait dans un dossier
portant la mention *Secreta Sancti Officii* – Secrets du Saint-Office –,
toutes les pièces relatives à Fàtima – y compris la fameuse enveloppe –
toujours par devers lui.

16. Selon certains Jean XXIII comprenait toutefois quelque peu le
portugais.

17. A propos de cet épisode le cardinal Ottaviani aurait utilisé les
termes d'archives qui sont « comme un puits profond, noir, noir... ».
Peut-être le fameux « pozzo nero »?

18. Ce qui apparemment implique qu'il en avait bien eu connaissance
en même temps que Jean XXIII!

19. Il n'est plus question du « pozzo nero »!

20. Paul Mari, éd. Paris, 1979.

21. Éd. Rijois.

22. Éd. Albin Michel, coll. « Les Chemins de l'impossible », Paris,
1975.

23. A souligner le fait que le témoignage de cet homme « digne de
foi » est loin de corroborer les déclarations de feu le cardinal Ottaviani
quant aux circonstances de l'ouverture du pli par Jean XXIII (pluralité
des assistants)...

24. Publication mentionnée dans l'article de Mgr Balducci.

25. « Christ » (« Christos » en grec, « Christus » en latin) signifie
« Oint » (sous-entendu « du Seigneur »). D'autre part, il ne faut pas
confondre l'Anté-Christ et l'Anti-Christ. L'Antéchrist est celui qui
viendra avant le Christ, nouveau visage de Jean le Baptiste, en quelque
sorte. Rien à voir donc avec le monstre décrit d'innombrables manières,
toutes plus horribles les unes que les autres, qui serait l'Anti-Christ
(Celui qui est contre le Christ). Le Paraclet (paraklêtos : invoqué en
grec) est le Saint-Esprit en tant qu'avocat, défenseur et *consolateur* des
hommes. La Parousie (Parousia : arrivée en grec) exprime le retour
glorieux du Christ à la fin des temps.

26. Le « secret » de La Salette est intégralement retranscrit dans le
livre de Guy Le Rumeur, *Apocalypse mariale,* chez l'auteur, 79 -
Argenton-l'Église.

27. L'un des *Cinq piliers de l'Islam (Arkan al-Islam)* les quatre

autres étant la profession de foi (« Il n'est de Dieu que Dieu et Muhammad est son prophète »), la prière rituelle cinq fois par jour, l'aumône légale (*Az Zaquat*) pratiquée le 10 Moharam lors de la fête de la Choura qui est le 1ᵉʳ de l'an islamique, laquelle implique la distribution du dixième de ses économies au pauvres – musulmans ou non! – et enfin le pèlerinage à La Mecque. (*Al-Hajj.*)

28. Éd. Albin Michel.

29. Publiée par *la Gazette de Monaco* du 30 novembre et 1ᵉʳ décembre 1980.

30. En 622 Muhammad et ses compagnons quittèrent La Mecque pour Médine (*Hijra*). C'est l'an I des musulmans.

31. Théologiens, docteur, de la Loi.

32. Le Madhï, pour les Soufis, apparaîtra à la fin des temps. (Il sera le « Sceau des Awliyâ » (Maîtres soufis « Amis de Dieu »).

33. *Le Premier amour du monde*, éd. Mame.

34. *La Reine aux mains jointes*, La Colombe éd.

35. Omnium littéraire, Paris, 1971.

36. *Les Prophéties de saint Malachie – Mort des papes et apocalypse*, éd. du Rocher, coll. « Les Carrefours de l'étrange », Monaco, 1979.

37. La durée moyenne d'un pontificat étant de sept ans, Jean-Paul II ayant été élu en 1978, on arrive à deux dates « probables » pour la fin de la papauté : 1992, ou 1999 si l'on tient compte de Pierre le Romain.

38. Dans l'interview qu'il nous accordait, mentionnée plus haut, Jacques Benoist-Méchin, avant l'éclatement du conflit irako-iranien, estimait que la troisième guerre mondiale pourrait fort bien résulter d'un quelconque blocus du détroit d'Ormuz.

39. L'équivalent de mille deux cents bombes H.

40. Sur la défense de l'Europe, et la situation militaire mondiale actuelle nous renvoyons le lecteur au livre de Georges Suffert, *Quand l'Occident se réveillera*, éd. Bernard Grasset, Paris, 1980.

41. Encore un événement capital qui vient corroborer notre hypothèse « asiatique » de la devise de Jean-Paul II *De labore Solis.*

TABLE DES MATIÈRES

Achevé d'imprimer
en janvier mil neuf cent quatre-vingt-deux
sur les presses de l'Imprimerie Gagné Ltée
Louiseville - Montréal.

Dépôt légal : 4ᵉ trimestre 1981
Bibliothèque nationale du Québec
Bibliothèque nationale du Canada

Imprimé au Canada